Brian Lumley · Das Dämonentor

In dieser Reihe außerdem lieferbar:

2801 *Das Erwachen*
2802 *Vampirblut*
2803 *Kreaturen der Nacht*
2804 *Untot*
2805 *Totenwache*
2806 *Das Dämonentor*

In Vorbereitung:

2807 *Blutlust*

Brian Lumley

Das Dämonentor

Necroscope 6

Aus dem Englischen von Michael Plogmann

FESTA

2. Auflage
Originaltitel: *Necroscope 3: The Source*

www.Festa-Verlag.de

Umschlaggestaltung: www.babbarammdass.de
Dieses Werk wurde vermittelt durch die Literarische Agentur
Thomas Schlück GmbH, 30827 Garbsen
Druck und Bindung: Wiener Verlag, A-2325 Himberg

ISBN 3-93822-10-3

ERSTES KAPITEL

Der Spion kauerte in einer Schneewehe in einem Wirrwarr aus weißen Felsblöcken auf dem östlichen Kamm dessen, was einmal der Perchorsk Pass im nördlichen Ural gewesen war. Er starrte durch sein Nachtsichtglas auf eine Fläche von fast einem Hektar herunter; einer gewölbten, silbrigen Platte, die den Boden der Schlucht bedeckte. Im Mondlicht hätte man diese Fläche leicht für Eis halten können, aber Mikhail Simonow wußte, daß es sich nicht um einen Gletscher oder um einen zugefrorenen Fluß handelte; es war eine Metallplatte, die fast 140 Meter lang und beinahe 70 Meter breit war. An den unregelmäßigen Kanten der Längsseiten, wo die sanft gebogene Kuppel an die felsigen Wände der Schlucht stieß, und an den beiden Endseiten, wo das Metall glatt mit den massiven Betonwänden von Staumauern abschloß, war das Material »gerade mal« fünfzehn Zentimeter stark, aber in der Mitte war die künstliche Platte bis zu sechzig Zentimeter dick. Das hatten zumindest die Instrumente der amerikanischen Spionagesatelliten angezeigt. Damit war dies hier die größte von Menschen zusammengetragene Menge Blei auf der ganzen Welt.

Es ist, als blicke man auf den zu drei Vierteln vergrabenen, bleiumwickelten Hals einer Flasche, dachte Mikhail Simonow. Eine magische Flasche – nur daß in diesem Fall der Stöpsel bereits herausgezogen und der Dschinn entflohen war. Simonow war hier, um die Natur dieses sehr zweifelhaften Flüchtlings zu ergründen. Er schnaubte leise, schob seine Assoziationskette in den Hintergrund seiner Gedanken und konzentrierte seine Aufmerksamkeit auf die Szenerie unter sich.

Den Grund der Schlucht hatte ein Wasserlauf gebildet, der bei heftigen Regengüssen das ganze Tal unter Wasser gesetzt hatte. Der Zulauf des Flüßchens, auf der anderen Seite der Talsperre, war jetzt zu einem See aufgestaut, dessen Oberfläche glatt und ebenfalls bleiern wirkte – aber nur die Oberfläche. Unter dem großen Bleidach wurde das Wasser durch ein von oben nicht sichtbares Schleusensystem geleitet und trat in Form von vier großen sprühenden Fontänen aus Abflüssen in der unteren Wand wieder aus. Gischt stieg von diesen Wasserfällen auf, gefror und fiel zurück oder verteilte sich als Mantel aus Schnee und Eis über den unteren Teil der Schlucht, wo trotz der augenscheinlichen Menge des Wassers nur ein Bach jetzt seinem alten Bett folgte. Unter dem großen Bleischild standen vier mächtige Turbinen ungenutzt, unbeleckt von dem Wasser, das aus dem See abfloß. Sie standen seit fast zwei Jahren still, seit dem Tag, an dem die Russen diese neue Waffe zum ersten – und zum letzten Mal – erprobt hatten.

Trotz aller Versuche der UdSSR, dies mit technischen Tricks zu verhindern, war auch dieser Test von den amerikanischen Spionagesatelliten »gesehen« worden. Was *genau* sie gesehen hatten, war nie publik gemacht worden; es war nicht einmal aus einem kleinen Kreis von hohen Staatsbeamten und entsprechenden geheimen Organisationen herausgedrungen, aber es hatte ausgereicht, um das amerikanische SDI- oder »Stars Wars«-Konzept in die Tat umzusetzen. In sehr illustren, sehr mächtigen und hochgradig geheimen Verteidigungsorganisationen der westlichen Welt waren beunruhigt Konferenzen mit Themen wie Neutronenstrahlwaffen, nuklear- und plasmabetriebene Laser und ähnlichem anberaumt worden. Man sprach sogar über eine Art Magma-Motor, der theoretisch die Energie des schwarzen Loches anzapfen könnte, das von einigen Wissenschaftlern im Erdkern postuliert wurde, wo es gleichermaßen den Planeten verschlingen und erwärmen würde. Aber alle diese Diskussionen beruhten nur auf Hypothesen. Abgesehen von den Daten der Spionagesatelliten war aus Russland selbst nichts herausgedrungen, zumindest nichts, was im Rahmen normaler nachrichtendienstlicher Informationen stand. Die Uralregion um Perchorsk war seit geraumer Zeit strenger abgeriegelt, als es selbst das Baikonur Raketenzentrum zu Zeiten der Sputniks gewesen war. Und die Kontrollen waren nach diesem einzigen, schrecklichen Probelauf noch weit schärfer geworden.

Simonow zitterte in seinem weißen, pelzbesetzten Anorak. Er wischte sorgfältig die Linsen seines Fernglases sauber und schmiegte sich noch enger an den gefrorenen Boden zwischen den Felsen, als die dahinpeitschenden Wolken sich teilten und ein fast voller Mond hinterrücks auf ihn herabschien. Es war schon im sogenannten Sommer kalt hier oben, aber im Spätherbst war es eine Art Hölle aus Eis. Es war jetzt Herbst, und mit etwas Glück würde der Kelch an Simonow vorübergehen, hier noch einen Winter verbringen zu müssen. Nein, korrigierte er sich in Gedanken, mit etwas Glück war es nicht getan. Er würde verdammt viel Glück brauchen!

Die Szenerie unter ihm leuchtete silbern im hellen Mondlicht auf, aber die Speziallinsen von Simonows Fernglas paßten sich den veränderten Lichtverhältnissen automatisch an. Er richtete den Feldstecher direkt auf den Pass, oder auf das, was der Pass gewesen war, bevor das Perchorsk Institut vor fünf Jahren aus der Taufe gehoben wurde.

Hier auf der Ostseite der Schlucht war der Pass von einem der Zuflüsse des Sosva auf seinem Weg nach Berezov durch den Berg gegraben worden; auf der Westseite hatte man ihn durch eine tiefe Kluft zwischen den Bergen gesprengt. Er führte steil von den Bergen herunter und die Straße folgte fast dreihundertfünfzig Kilometer lang dem Lauf des Kama bis hin nach Berjesniki und von da aus nach Perm und zu der Eisenbahnstrecke von Kirow nach Swerdlowsk.

In den vierzig Jahren vor der Gründung des Instituts war der Pass in erster Linie von Holzfällern, Jägern und Goldsuchern benutzt worden, oder um landwirtschaftliche Gerätschaften von einer Seite des Gebirges auf die andere zu bringen. Damals war die Straße grob aus den rohen Felsen gebrochen und gesprengt worden, und so war sie auch bis vor kurzem geblieben: eine holprige und schwierige Strecke durch die Berge. Aber das Perchorsk Institut hatte dramatische Veränderungen eingeläutet.

Mit der Anbindung von Serinskaja an die Zapadno-Eisenbahnlinie im Osten, und der Verlängerung der Eisenbahnsrecke von

Ukhta bis nach Workuta im Norden, war die Bedeutung des Passes durch die Berge immer mehr geschwunden. Er wurde nur noch von ein paar hiesigen Bauern und ihresgleichen benutzt, deren Bedürfnisse dem größeren Wohl der Allgemeinheit weichen mußten. Sie waren einfach »umgesiedelt« worden. Das war vor viereinhalb Jahren gewesen, und dann wurde mit der Geschwindigkeit, dem Einfallsreichtum und dem personellen Spielraum, der einer Supermacht zur Verfügung steht, der Pass ausgebaut und erweitert. Statt der holprigen Piste war da jetzt eine moderne zweispurige Straße mit durchgängigen Leitplanken. Aber nicht als öffentliche Durchfahrtstraße und ganz bestimmt nicht zum Nutzen der weit verstreuten Dörfer der Gegend. Ganz im Gegenteil, ihnen war die Benutzung des Passes strikt verboten.

Alles in allem hatte die Errichtung des Instituts drei Jahre beansprucht, in denen es aus sowjetischen Nachrichtenkreisen lapidar hieß, im Ural werde ein Bergpass repariert und ausgebaut. Das war die offizielle Version, die das wahre Bild verschleiern oder verzerren sollte, das sich den USA aus dem All bot. Und falls es noch weiterer Beweise für die Unverfänglichkeit der Baumaßnahmen bei Perchorsk bedurfte, so war deutlich zu sehen, daß Öl- und Gaspipelines zwischen Ukhta und den Gasvorkommen am Ob über den Pass verlegt wurden. Was die Russen jedoch nicht verbergen oder vertuschen konnten, war die Konstruktion von Staudämmen und der Einsatz von schwerem Gerät; der unglaublich schwere Bleischild, der in Schichten über der einstigen Wildwasserschlucht hochgezogen wurde; und die allmähliche Konzentration von Truppenbewegungen in der Gegend zu einer dauerhaften Militärpräsenz. Es hatte auch massive Sprengungen, Ausgrabungen und Tunnelbohrungen gegeben, bei denen viele tausend Tonnen Felsgestein mit LKWs weggefahren oder einfach in den umliegenden Schluchten abgekippt wurden, und es waren große Mengen von komplexen elektrischen Apparaturen und anderen Instrumenten installiert worden. Der größte Teil dieser Aktivitäten wurde aus dem All beobachtet und beschäftigte und beunruhigte die westlichen Geheim- und Nachrichtendienste in höchstem Maße. Wie üblich machten die Russen ihnen das Leben besonders schwer. Was sie da auch taten, sie taten es in einer fast unzugänglichen dreihundert Meter tiefen Schlucht mit steilen Hängen. Um da noch Beobachtungen zu machen, mußte ein Satellit fast direkt über der Schlucht stehen.

Den Mutmaßungen im Westen waren keine Schranken gesetzt. Es gab viele Möglichkeiten. Vielleicht arbeiteten die Russen an einem heimlichen Erzgewinnungsprojekt? Es konnte sein, daß sie große Mengen hochangereichertes Uran im Ural entdeckt hatten. Andererseits waren sie vielleicht auch damit beschäftigt, nukleare Testanlagen unter den Bergen selbst aufzubauen. Oder konnte es sein, daß sie etwas völlig Neues und vollkommen Anderes aufbauten und testeten? Als es dann passierte, damals vor zwei Jahren, stellte sich heraus, daß die Anhänger der dritten Alternative recht hatten.

Wieder wurde Mikhail Simonow in die Gegenwart zurückgeholt, diesmal vom leisen Dröhnen dieselbetriebener Lastwagen, das schwach aus der Schlucht hoch hallte und das dünne Pfeifen des Windes übertönte. Gerade als der Mond wieder hinter den Wolken verschwand, durchstachen die Scheinwerferstrahlen eines Konvois aus holpernden Lastwagen die Dunkelheit mit einem Kegel weißen Lichts, als sie durch das tiefe ›V‹ des Passes auf der anderen Seite kamen. Die gewaltigen, klobigen Lastwagen waren etwas mehr als einen Kilometer Luftlinie über die Schlucht hinweg entfernt und ungefähr zweihundert Meter unterhalb von Simonows Beobachtungsplatz, aber trotzdem drückte er sich noch tiefer an den Boden und zog sich ein wenig weiter zwischen die Felsen zurück. Es war eine angelernte, automatische, fast instinktive Reaktion auf mögliche Gefahr, alles andere als ein verschreckter Rückzug. Simonow war sehr gut ausgebildet, man hatte es dabei an nichts fehlen lassen.

Als der Konvoi über den Pass kam und sich die steil abfallende Rampe einer Straße hinunterbewegte, die aus dem blanken Felsen geschnitten worden war, strahlte eine Batterie von Scheinwerfern plötzlich aus der Felswand hell auf und leuchtete die ordentlich geteerte Straße hervorragend aus. Fasziniert lauschte Simonow, wie die Dieselmotoren heruntergeschaltet wurden, beobachtete die Routine einer gut organisierten Güterabfertigung.

Ohne das Nachtsichtgerät abzunehmen, griff er in eine Tasche und zog eine kleine Kamera hervor, die er in eine Halterung im unteren Gehäuse des Fernglases einrasten ließ. Dann drückte er einen Knopf auf der Kamera und beobachtete weiter. Was er sah, wurde jetzt automatisch aufgenommen, viereinhalb Minuten lang alle sechs Sekunden ein Bild, 45 winzige Schnappschüsse von fast kristalliner Klarheit. Nicht daß er erwartete, etwas wirklich Wichtiges zu sehen: Er wußte bereits, was die Lastwagen geladen hatten, und die Photos waren nur dazu da, um zu beweisen, daß der Transport wirklich hierher unterwegs gewesen war. Sie dienten nur zur Beglaubigung für andere im Westen.

Vier Wagen: Einer enthielt die Bauteile für einen drei Meter hohen Elektrozaun, zwei transportierten die Teile und Munition für drei doppelläufige, panzerbrechende, 13mm Katjushew-Geschütze, und der vierte schließlich hatte eine Reihe von dieselbetriebenen Generatoren geladen. Nein, die Frage war nicht, was da transportiert wurde. Die Frage war: Wenn die Russen sich darauf vorbereiteten, das Perchorsk Institut zu verteidigen, vor wem wollten sie es dann verteidigen?

Vor wem ... oder vor was?

Simonows Kamera klickte fast lautlos vor sich hin; seine Augen registrierten alles, was unter ihm geschah. Er wußte, daß er wegen der hohen Strahlung höchstens noch weitere zehn oder fünfzehn Minuten hier bleiben durfte, aber er war mit einem Teil seiner Gedanken schon wieder anderswo. Zurück in London vor zweiundzwanzig Monaten. Das Fotografieren der Lastwagen hatte das ausgelöst, hatte Simonows Gedanken zu dem anderen Film zurückgeführt, der ihm vom MI6 und den Amerikanern in London gezeigt worden war. Ein richtiger Film, wenn auch nur ein kurzer, und nicht nur Einzelbilder. Er entspannte sich ein wenig. Er tat alles, was von ihm erwartet wurde und konnte es sich leisten, seine Gedanken ein wenig wandern zu lassen. Und außerdem, wenn man einmal diesen Film gesehen hatte, war es schwierig, nicht immer wieder mit den Gedanken dahin zurückzukehren.

Der Film zeigte etwas, das gerade mal sieben Wochen nach dem Perchorsk Vorfall – den man »Pi« getauft hatte – vorgefallen war und sich damit das Acronym Pi II eingefangen hatte – Pill. Aber diese Pille ging verdammt schwer runter. Das war geschehen:

... Es ist frühmorgens an einem schönen Oktobertag an der Ostküste der USA; aber an der offiziell aufgegebenen kanadischen *Distant Early Warning Line* herrscht schon seit drei Stunden Hochbetrieb, seit ein Paar von Spionagesatelliten, deren Sichtfenster über die Barents- und die Karasee, beziehungsweise von Archangelsk über den Ural nach Igarka reichten, über den Pol hinweg ein unbekanntes Flugobjekt an die Lauscher in Kanada und den Militärstationen in Maine und New Hampshire gemeldet hatte. Washington ist informiert und die Raketenbasen in Grönland und auf dem Luftwaffenstützpunkt in Thule sind in erhöhte Alarmbereitschaft versetzt worden. Man hat die anderen DEW-Staaten benachrichtigt; Großbritannien hat schwaches Interesse gezeigt und darum gebeten, auf dem Laufenden gehalten zu werden; Dänemark ist wegen Grönland wie gewöhnlich nervös, Island reagiert gleichgültig und von Frankreich kommt keine Antwort.

Aber jetzt kommen die Dinge ein wenig ins Rollen. Die ursprünglichen Spionagesatelliten haben den Eindringling aus ihrem Sichtbereich verloren – ein Eindringling ist dabei jedes Flugobjekt, das von Ost nach West über den Atlantik fliegt –, aber gleichzeitig ist er von DEW-Radarstationen auf seinem Weg über die Arktis lokalisiert worden. Sein Kurs schwankt ziemlich, zielt aber allgemein in Richtung auf die Queen Elisabeth Inseln. Und was die Sache noch pikanter macht: Die Russen haben zwei Mig Abfangjäger von der Kironow-Militärbasis südlich von Murmansk gestartet. Jetzt werden auch Norwegen und Schweden nervös. Die USA sind ausgesprochen neugierig, aber noch nicht besorgt. Das Objekt ist zu langsam, um eine wirkliche Bedrohung darzustellen. Nichtsdestotrotz wird ein AWACS Flugzeug von seinen Routinetätigkeiten zu einem Erkundungsflug abkommandiert, und zwei Abfangjäger starten von einer Landebahn bei Fort Fairfield in Maine.

Es sind jetzt vier Stunden vergangen, seit das – UFO? – das erste Mal über Nowaja Semlja gesichtet worden ist, und während dieser Zeit hat es gerade mal 1300 Kilometer hinter sich gebracht, ist dabei westlich an Franz Josef Land vorbeigeflogen und scheint jetzt geradewegs auf Ellesmere Island zuzufliegen. Und da holen die Migs es ein, nur daß das die Situation nicht richtig beschreibt. Geographisch haben sie es eingeholt, aber sie sind auf maximaler Flughöhe und das UFO ist drei Kilometer über ihnen! Und dann ... offenbar bekommen sie es in Sicht und zur gleichen Zeit werden sie gesehen.

Was dann passiert, ist nicht gesichert, da der Kironow-Luftwaffenstützpunkt Funkstille angeordnet hatte, aber aufgrund dessen, was später geschieht, kann man schon seine Schlüsse ziehen. Das Objekt verliert an Höhe, beschleunigt und greift an. Die Migs eröffnen wahrscheinlich das Feuer in den paar Sekunden, bevor sie zu Konfetti zerschreddert werden. Ihre Trümmer zerschellen in Schnee und Eis irgendwo auf halber Höhe zwischen dem Nordpol und Ellesmere Island ...

Und jetzt wird aus dem potentiellen Eindringling ein wirklicher Eindringling in westliche Hoheitsgebiete! Er beschleunigt auf fast 500 km/h und sein Kurs ist jetzt pfeilgerade. Das AWACS meldet, daß die Migs vom Schirm verschwunden und wahrscheinlich abgeschossen worden sind, aber ein Telefonat auf dem heißen Draht zwischen Washington und Moskau zeitigt nur die üblichen Ausflüchte: »Welche Migs? Welcher Eindringling?«

Die USA sind ein wenig verstimmt: »Dieses Flugzeug ist aus eurem Luftraum in unseren hineingeflogen. Dazu ist es nicht berechtigt. Wenn es seinen jetzigen Kurs beibehält, werden wir es abfangen und zur Landung zwingen. Wenn es dem zuwiderhandelt oder sich auf irgendeine Weise feindselig verhält, besteht die Möglichkeit, daß es abgeschossen und zerstört wird!«

Überraschenderweise kommt ein »Gut!« von den Russen. »Was das auch ist, was ihr da auf euren Schirmen habt, es hat nichts mit uns zu tun. Wir sind dafür nicht verantwortlich. Macht damit, was ihr für richtig erachtet!«

Präzisere Berichte liefern jetzt die Norweger aus der Lauschstation in Hammerfest: Das Objekt ist offenbar von einem Gebiet im Ural in der Nähe von Labjtnangi direkt am Polarkreis gestartet, plus/minus 150 Kilometer. Wenn sie stattdessen plus/minus 500 Kilometer südlich angegeben hätten, hätten die Berichte gestimmt – soweit ist der Perchorsk Pass nämlich von dem Gebiet entfernt, das sie angegeben hatten. Andererseits liegt in der anderen Richtung, nördlich von Labjtnangi, mit Workuta die nördlichste Raketenbasis der UdSSR, über Eisenbahn mit Ukhta verbunden. Und jetzt sind die Amerikaner nicht mehr nur leicht irritiert, sondern ziemlich verstimmt. Was zum Teufel haben die Roten vor? Haben sie irgendeine Testrakete in Workuta abgeschossen und die Kontrolle darüber verloren? Und wenn, ist sie armiert? Mit wie vielen Sprengköpfen?

Die Alarmbereitschaft wird um zwei Stufen hochgefahren und Moskau bekommt in einigen sehr hitzigen Telefongesprächen heftigen Druck zu spüren. Aber die Sowjets beteuern immer noch ihre Unwissenheit, wenn auch mit deutlicher Nervosität.

Bessere, genauere Informationen treffen ein. Das Ding ist jetzt auf den Satellitenschirmen, auf denen des AWACS und auf dem Bodenradar zu sehen. Es gibt noch keine Sichtungen über das menschliche Auge, aber alles andere. Den Spionagesatelliten zufolge könnte es ein dichter Vogelschwarm sein – aber welche Vögel fliegen schon mit 500 Stundenkilometern in acht Kilometern Höhe über die Arktis? Der Zusammenstoß mit Vögeln könnte natürlich die Migs außer Gefecht gesetzt haben, andererseits ... Die hochgeheimen High-Tech-Radaranlagen entlang der alten DEW Linie meinen, es handle sich entweder um ein großes Flugzeug oder ... vielleicht eine Raumstation, die aus ihrem Orbit gefallen ist? Und sie behaupten auch, daß der Metallgehalt unglaublich niedrig sei – das UFO enthalte nämlich kein Metall!

Aber die Nachrichtendienste haben keinerlei Informationen über ein Flugzeug – geschweige denn eine Raumstation –, die 70 Meter lang und aus Segeltuch gemacht ist. Das AWACS meldet, daß das Ding in einer Reihe von Schüben fliegt, wie ein riesiger fliegender Oktopode. Und im Großen und Ganzen hat das AWACS recht.

Die amerikanischen Abfangjäger sind jetzt seit fast einer Stunde in der Luft. Mit einer Geschwindigkeit von beinahe Mach 2 haben sie von den Belcher Inseln aus die Hudson Bay überquert und sind jetzt an einem Punkt ungefähr 300 km nördlich von Churchill. Sie haben gerade das AWACS überholt und es seit ein paar Minuten hinter sich gelassen. Das AWACS hat ihnen mitgeteilt, daß ihr Ziel direkt vor ihnen liegt und jetzt auf eine Höhe von 3500 Metern hinabgestiegen ist. Und dann endlich, so wie die Migs vor ihnen, erblicken sie den Eindringling.

Das war die Geschichte gewesen, das Szenario, das der CIA und MI6 vor Simonow ausgebreitet hatten, bevor sie ihm den Film zeigten, der von dem AWACS aufgenommen worden war. Und als der wortführende Offizier diese vier Worte gesprochen hatte, »erblicken sie den Eindringling«, da war der Film angelaufen. Alles sehr dramatisch, und das mit Recht ...

Erblicken sie den Eindringling, dachte Simonow jetzt. Die Worte schmeckten so bitter auf seiner Zunge, daß er sie beinahe laut ausgespuckt hätte. Bei Gott ja! Darum geht es in diesem Spiel, oder? Beim Geheimdienst, bei der Abwehr, bei der Spionage: *Den Eindringling finden!* Und alle Seiten spielen das Spiel hervorragend, einige vielleicht ein bißchen besser als die anderen. Hier und jetzt war er der Eindringling: Michael ›Jazz‹ Simmons, alias Mikhail Simonow. Nur hatte man ihn noch nicht gefunden.

Dann, als er seine Konzentration wieder dem Geschehen in der Schlucht zuwandte, fühlte oder hörte er etwas, das da nicht sein sollte. Von einem Punkt irgendwo hinter und über ihm kam das Klicken eines fallenden Steinchens, und dann leisere Geräusche, als der Stein auf seinem Weg die Felswand hinunter kleinere Artgenossen mit sich riß. Das letzte Stück des Aufstiegs hierher führte über eine steile, flache Felsplatte, es war eher ein steiles Bergaufgehen als wirkliches Klettern. Da hatte eine Menge loser Steine und anderes Geröll herumgelegen. Vielleicht hatte er beim Vorübergehen einen Stein so berührt, daß der jetzt nur noch auf einer Kante gelegen hatte, und ein scharfer Windstoß hatte ihn jetzt heruntergeweht. Simonow wollte glauben, daß das der Grund war, aber ...

Was, wenn da etwas anderes war? Er hatte seit einiger Zeit das Gefühl – eine Art vager, unbegründbarer Verdacht – daß irgendwer, irgendwo, sich seiner bewußt war. Jemand, bei dem es ihm lieber wäre, wenn der nichts von ihm wüßte. Wahrscheinlich ist das ein Gefühl, mit dem Spione leben müssen. Vielleicht lag es auch nur daran, daß alles bisher so glatt gelaufen war, daß er jetzt anfing, sich Schwierigkeiten einzubilden. Er hoffte, daß es wirklich nur das war. Aber um sicher zu gehen ...

Ohne sich umzusehen oder seine Position stark zu verändern, knöpfte er seinen Anorak auf, griff hinein und zog eine kompakte, bösartig aussehende Automatik mit einem kurzen Lauf heraus. Der stummelige Schalldämpfer war schon aufgeschraubt. Er kontrollierte das Magazin und ließ es lautlos wieder in den Griff gleiten. All das tat er mit einer Hand, mit oft geübter Routine, ohne das Filmen der Lastwagen unten in der Schlucht zu unterbrechen. Vielleicht würden die letzten paar Bilder ein wenig verwackelt sein. Das war kein Verlust. Simonow war zufrieden mit dem, was er bereits hatte.

Die winzige Kamera an Simomovs Nachtsichtgerät klickte ein letztes Mal und summte dann warnend, ein Zeichen dafür, daß der Film durchgelaufen war. Er entriegelte die Halterung und verstaute die Kamera. Dann klemmte er das Fernglas sicher zwischen zwei Felsblöcke, hob vorsichtig die Pistole, drehte sich so um, daß er die Schlucht im Rücken hatte und erhob sich auf die Knie. Immer noch in Deckung schielte er vorsichtig durch das V, das durch die Spitzen von zwei aneinanderliegenden abgerundeten Felsblöcken gebildet wurde. Da war nichts. Jedenfalls nichts, das er sehen konnte. Steile Felswände, die sich dreihundertfünfzig

Meter nach unten erstreckten, mit Vorsprüngen hier und da und dünnen Schneeablagerungen, die alle glatten Flächen bedeckten und weiß färbten. Und weit unten, im Dunkel der Nacht versunken, die Baumgrenze und sanfte, flachere Abhänge. Alles war bewegungslos und monochrom im schwachen Sternen- und gelegentlichem Mondlicht. Nur eine leichte Brise wehte flauschige Schneewolken von den Vorsprüngen und Graten. Es gab natürlich unzählige Möglichkeiten, wo ein Mensch sich verstecken konnte – niemand wußte das besser als Simonow, der selbst ein Meister in der Kunst des Verbergens war – aber wenn man ihn beschattet hätte, warum sollten sie ihm dann hier herauf folgen? Es war doch sicherlich einfacher, unten auf ihn zu warten. Doch er konnte das Gefühl nicht verdrängen. Ihm war, als sei er nicht allein. Dieses Gefühl war mit den letzten zwei oder drei Besuchen an diesem Ort immer stärker geworden.

An diesem Ort, der Brutstätte von völlig fremdartigen Monstern ...

Er kroch zurück in seine ursprüngliche Position, holte sein Nachtsichtgerät wieder hervor und hielt es sich vor die Augen. In der Schlucht, wo die steile Straße auf das Gebilde stieß, das von den gewaltigen Wällen der Staumauern und der konvexen Bleifläche dazwischen gebildet wurde, war eine höhlenartige Öffnung in der Felswand hell erleuchtet.

Der letzte LKW bog links von der Straße ab auf eine ebene Zufahrt und fuhr dann hinein, durch gewaltige, stahlummantelte bleierne Rolltore. Eine Gruppe von gelbgekleideten Einweisern winkte den Konvoi rumpelnd ins Innere und außer Sicht, und folgte ihnen dann in den blendenden Lichtschein hinein, der aus dem Innern des Felsens drang. Weitere Männer kamen die Straße herabgelaufen und sammelten die Leuchtmarkierungen ein. Das große Tor hatte sich mit einem Knall geschlossen, bevor sie davor angekommen waren, aber eine kleine Pforte von der Dicke einer Tresortür war offen geblieben und sandte einen schmalen Lichtstrahl nach draußen. Die Tür schluckte die Männer mit den Markierungsbojen und wurde dann geschlossen. Die Flutlichter über dem Pass verloschen und hinterließen dichte Schwärze nach der Helligkeit. Nur der eingedämmte Flußlauf und der große Bleischild blieben übrig, um das Sternenlicht zu reflektieren.

Aber diese Unmenge Blei da unten. Und die verseuchten Felsen, die mehr als nur ein bißchen verstrahlt waren. Und dieses *Ding,* das von dem AWACS gefilmt worden war, als es sich einen Kampf mit den US-Jägern geliefert hatte. Simonow konnte einen Schauder nicht unterdrücken, der diesmal nichts mit der Kälte um ihn herum zu tun hatte. Er verstaute das Nachtsichtgerät in einem flachen ledernen Etui, das er in seinen Anorak schob, ohne die Schnur um seinen Hals zu lösen. Und dann lag er noch einen Moment lang so da, und seine Augen starrten in den geheimnisvollen Abgrund unter ihm, während sein Verstand vor der Dunkelheit die Bilder der Ereignisse ausbreitete, die er in London gesehen hatte, aufgezeichnet auf dem flimmernden Film eines AWACS ...

Doch selbst jetzt bei der Erinnerung schreckte er davor zurück. Es war schlimm genug, daß er die Bilder immer noch manchmal in seinen Träumen sah! Aber konnte dieses ... dieses ... was auch immer er da gesehen hatte, konnte das wirklich von hier stammen? Eine monströse Mutation? Ein gigantischer, schrecklicher Kampfklon, den das wahnwitzige Experiment eines irren Genetikers heraufbeschworen hatte? Eine biologische Waffe jenseits aller bisherigen menschlichen Erfahrung und Vorstellung? Um das herauszufinden, war er hier. Das heißt, er war hier, um schlüssig zu beweisen, daß dieses Ding tatsächlich hier geboren – oder gemacht – worden war. Dieses zischende, pulsierende, zappelnde ...

Schnee knirschte leise, von einem verstohlenen Schritt zusammengedrückt.

Simonow stieß sich auf die Füße hoch und wirbelte herum, noch während er sich aufrichtete. Er sah vage einen Kopf und spähende Augen über dem Felsgeröll. Während er sich nach links zwischen die Felsen warf, hatte er die Automatik schon in der Hand, den rechten Arm ausgestreckt, um mit der Waffe zielen zu können. Ein Mann in einem schneeweißen Parka hockte zwischen den Felsen, mit einer Waffe in den Händen, die er in diesem Augenblick auf Simonow richtete.

In dem Moment, bevor Simonow auf der Seite im Schnee landete, drückte er zweimal ab. Der erste Schuß traf den Mann in der Schulter und riß ihn hoch, der zweite traf ihn in die Brust und warf ihn nach hinten, in den Schnee hinein.

Das dumpfe *tuck tuck* von Simonows schallgedämpfter Waffe hatte kein Echo erzeugt, aber er war noch nicht wieder zu Atem gekommen, als ein heiseres Grunzen neben ihm ertönte und etwas silbrig in einem plötzlichen Mondstrahl aufleuchtete. Der Schnee links neben Simonow, keinen halben Meter entfernt, stob hektisch auseinander. »Bastard!« fauchte eine Stimme auf Russisch, während eine kräftige Hand sich in sein Haar krallte und ein Eispickel auf ihn herabsauste, dessen Spitze seine Waffenhand am Handgelenk durchbohrte und sie fast an den Felsen nagelte.

Der Russe hatte in einer mit Schnee gefüllten Kuhle auf der Lauer gelegen. Jetzt sprang er ihm entgegen und versuchte, sich mit seiner Körpermasse auf Simonow zu stürzen. Der Agent sah ein dunkles Gesicht, einen weißen Streifen gebleckter Zähne, umrahmt von einem Bart und einer weißen Fellkapuze, und stieß seinen Ellbogen mit aller Kraft, die er aufbieten konnte, hinein. Zähne und Knochen splitterten und der Russe stieß einen gurgelnden Schmerzensschrei aus, aber er löste seinen Griff nicht von Simonows Haar. Der massige Kerl fluchte durch einen Schleier aus Blut und Speichel hindurch und holte mit dem Eispickel zu einem neuen Stich aus.

Simonow versuchte, seine Waffe in Anschlag zu bringen. Es war sinnlos – er hatte kein Gefühl in seiner Hand, die wie ein aufgespießter Fisch zuckte. Der Russe hockte über ihm und sein Blut tropfte auf Simonow hinunter. Er verlegte seinen Griff auf Simonows Kehle und zog drohend seinen Arm zurück.

»Karl!« ertönte eine Stimme aus den Schatten eines anderen Felsens. »Wir brauchen ihn lebend!«

»Wie sehr muß er am Leben sein?« Karl würgte die Worte heraus und spuckte dabei Blut. Aber im nächsten Moment ließ er den Eispickel fallen und versetzte Simonow einen eisenharten Hieb gegen die Stirn.

Der Spion verlor augenblicklich das Bewußtsein, und war dafür beinahe dankbar.

Eine dritte russische Gestalt kam aus der Nacht herbei und ließ sich neben Simonows ausgestreckter Gestalt auf die Knie sinken. Er fühlte dem bewußtlosen Mann den Puls: »Bist du in Ordnung, Karl? Falls ja, dann sieh doch bitte einmal nach Boris. Ich glaube, er hat ein paar Kugeln abgekommen!«

»Du glaubst? Na, ich war näher an ihm dran und ich kann dir versichern, er hat!« grollte Karl. Er betastete vorsichtig mit zittrigen Fingern sein zerschlagenes Gesicht, dann ging er dorthin, wo Boris ausgestreckt am Boden lag.

»Ist er tot?« fragte der Mann neben Simonow leise.

»Mausetot«, knurrte Karl. »So tot, wie der es sein sollte«, er deutete anklagend mit dem Finger auf Simonow. »Er hat Boris umgebracht und mir die Fresse poliert – du solltest mir einfach gestatten, ihm den verdammten Hals umzudrehen.«

»Wie profan, Karl!« Der andere schnalzte mißbilligend mit der Zunge. Er stand auf. Er war hochgewachsen, aber selbst in dem bauschigen Parka gertenschlank. Sein Gesicht war bleich, sein Mund schmal und im Mondlicht wirkte das Lächeln sardonisch, aber seine tiefliegenden Augen leuchteten wie dunkle Edelsteine.

Sein Name war Chingiz Khuv, und er hatte den Rang eines Majors. Aber in der Sonderabteilung des KGB, der er angehörte, vermied man den Gebrauch von Uniformen und Dienstgraden.

Anonymität steigert die Effizienz und verlängert das Leben. Khuv hatte vergessen, wer das gesagt hatte, aber er würde sich dem jederzeit anschließen – Anonymität tat beides. Man mußte nur dafür sorgen, daß die Autorität nicht darunter litt.

»Das ist ein Feind, oder?« knurrte Karl.

»Oh ja, sicher ist er das – aber er ist nur einer, und Feinde haben wir viele. Ich gebe ja zu, daß es eine gewisse Genugtuung bedeuten würde, ihm den Hals umzudrehen, und wer weiß, vielleicht bekommst du noch deine Gelegenheit, aber nicht, bevor ich das nicht mit seinem Verstand gemacht habe.«

»Ich muß versorgt werden.« Karl hielt sich das Gesicht mit der Hand.

»Der auch«, nickte Khuv zu Simonow hinüber. »Und genauso der arme Boris.« Er ging zu seinem Versteck zwischen den Felsen zurück und zog ein kleines Funkgerät hervor. Er zog die Antenne heraus und sprach in das Mikro: »Basis, hier ist Khuv. Schafft sofort den Rettungshubschrauber hier hoch. Wir sind einen Kilometer flußaufwärts vom Institut, oben auf dem östlichen Felsen. Der Pilot wird meine Leuchtfackel sehen ... Ende!«

»Basis: Wir sind auf dem Weg, Genosse ... Ende«, kam die Antwort zurück, blechern und durch Statik verzerrt. Khuv zog eine Allwetter-Fackel heraus und riß sie an, dann steckte er sie aufrecht in den Boden und klopfte den Schnee rundherum fest, um sie zu stabilisieren. Danach öffnete er Simonows Anorak und begann, die Taschen zu durchkämmen. Es gab nicht viel zu finden: das Nachtsichtgerät, Reservemagazine für die Automatik, russische Zigaretten, das leicht zerknautschte Photo eines schlanken Bauernmädchens in einem Feld voller Blumen, ein Stift und ein kleiner Schreibblock, ein halbes Dutzend loser Streichhölzer, ein »offizieller« russischer Personalausweis, und ein gebogenes Stück Gummi von ungefähr einem Zentimeter Dicke und fünf Zentimetern Länge. Khuv starrte das Stück Gummi geraume Zeit an. Es hatte Abdrücke wie von ...

»Zähne!« Khuv nickte.

»Was?« Karl war herübergekommen, um zu sehen, was Khuv da tat. Er redete durch eine Hand voll Schnee, mit dem er die Blutung in seiner Nase und seinen Lippen zu stillen suchte. »Sagten Sie Zähne?«

Khuv zeigte ihm das Stück Gummi. »Das ist ein provisorischer Bißschutz«, erklärte er. »Ich vermute, er steckt ihn sich nachts in den Mund, damit er nicht mit den Zähnen knirscht.«

Sie knieten neben Simonow nieder, so daß Karl an seinen Kiefer herankam. Der bewußtlose Mann stöhnte und wand sich ein wenig, mußte aber schließlich vor der Kraft in Karls gewaltigen Händen kapitulieren. Karl riß ihm den Mund weit auf: »Da ist eine kleine Taschenlampe in meiner Brusttasche.« Khuv fummelte die Lampe heraus und leuchtete damit in Simonows Mund. Links unten, der Zahn neben dem Weisheitszahn – da war er. Auf den ersten Blick war es ein überkronter Zahn, aber bei näherer Untersuchung entpuppte er sich als hohl und enthielt eine kleine Kapsel. Ein Teil des künstlichen Zahnschmelzes war abgeblättert und entblößte darunter glänzendes Metall.

»Zyanid?« fragte Karl.

»Nein, heutzutage haben die viel besseres Zeug«, antwortete Khuv. »Wirkt sofort und ist völlig schmerzlos. Wir holen das besser raus, bevor er aufwacht. Man weiß nie, er könnte ja tatsächlich den Helden spielen!«

»Drehen Sie sein Gesicht mit der linken Seite auf den Boden«, knurrte Karl. Er hatte die Waffen von Simonow und Boris in einer großen Tasche verschwinden lassen, jetzt zog er sie heraus und benutzte den Knauf von Simonows Waffe als Keil, um Simonows Kiefer offenzuhalten. Die Waffe seines toten Kameraden hatte einen langen, schmalen Lauf. »Dies wird mir ganz bestimmt nicht so weh tun, wie es ihm weh tun wird! Ich glaube, Boris wüßte es zu schätzen, daß ich seine Waffe benutze.«

»Was?« Khuv schrie beinahe. »Willst du den Zahn herausschießen? Das würde sein Gesicht zerfetzen und der Schock könnte ihn umbringen.«

»Ich würde den Zahn liebend gern herausschießen, aber das habe ich nicht vor.« Karl legte den Ballen seiner freien Hand auf den Knauf der Waffe.

Khuv wandte sich ab. Das war Arbeit für Leute wie Karl. Khuv selbst hielt rohe Gewalt für unter seiner Würde. Er sah über den Rand der Schlucht hinaus und presste die eigenen Zähne in einer Form morbider Empathie zusammen, als er hörte, wie Karls Faust mit einem Klatschen auf den Knauf hämmerte.

»Da!« sagte Karl mit einiger Genugtuung. »Fertig!« Tatsächlich hatte er zwei Zähne ausgeschlagen, den mit dem Zylinder und den daneben. Jetzt puhlte er Simonow die Zähne mit einem schmutzigen Finger aus dem blutigen Mund. »Alles erledigt, und ich habe den Zylinder nicht zerbrochen. Da, die Kappe steckt immer noch fest auf der Spitze. Ich glaube, er war gerade im Begriff, aufzuwachen, aber der zusätzliche Schmerz dürfte ihn noch ein bißchen flachgelegt haben.«

»Sehr gut«, sagte Khuv mit einem leichten Schaudern. »Schieb ihm ein bißchen Schnee in den Mund – aber nicht zuviel!« Er legte den Kopf in den Nacken: »Da kommen sie!«

Trübes Scheinwerferlicht strahlte aus dem Abgrund herauf wie der erste Anschein einer fernen, verfrühten Dämmerung. Es wurde schnell heller. Und mit dem Licht kam das schneidende *wupp wupp wupp* der Rotorblätter eines Hubschraubers ...

Jazz Simmons fiel und fiel und fiel. Er war auf der Spitze eines Berges gewesen und aus irgendeinem Grund heruntergefallen. Es war ein sehr hoher Berg, und es dauerte sehr lange, bis er auf dem Boden auftraf. Der Fall hielt schon so lange an, daß ihm die Bewegung jetzt eher wie ein Schweben vorkam. Er schwebte in der Luft, zusammengekauert wie ein Frosch, im freien Fall wie ein gut geschulter Fallschirmspringer, der auf den rechten Moment wartet, um die Leine zu ziehen. Nur hatte Jazz keinen Fallschirm. Außerdem mußte er sich das Gesicht irgendwo während des Falls gestoßen haben, denn er hatte den Mund voller Blut.

Übelkeit und Erbrechen weckten ihn aus seinem Alptraum in die schreckliche Realität. Er fiel wirklich! Im nächsten Moment erinnerte er sich unvermittelt wieder an alles und ein Gedanke schoss ihm durch den Kopf: *Gott! Sie haben mich in die Schlucht geworfen!*

Aber er fiel nicht, er schwebte nur. Zumindest dieser Teil seines Traums war wirklich. Und jetzt, wo sein Verstand wieder auf Touren kam und der Schock ein wenig zurückgedrängt wurde, fühlte er den festen Halt des Tragegurtes und den Luftzug der Rotorblätter des Hubschraubers über ihm. Er legte den Kopf in den Nacken und verrenkte seinen Körper, und irgendwie gelang es ihm, nach oben zu sehen. Hoch über ihm war ein Hubschrauber, dessen Scheinwerfer die Schlucht abtasteten, aber direkt über ihm ...

Direkt über ihm baumelte eine Leiche langsam an einem zweiten Seil, mit einem Haken durch den Gürtel, die Arme und Beine hingen schlaff nach unten. Die Augen des Toten waren geöffnet und jedesmal, wenn er an ihm vorbeipendelte, starrten sie Jazz in die Augen. Anhand der roten Flecken auf dem weißen Parka schloß Jazz, daß das der Mann war, auf den er geschossen hatte.

Dann –

Der Schock kehrte mit aller Macht zurück; Schwerelosigkeit, Schwindel und die Kälte trafen ihn mit einem eisigen Luftzug und Lärm und ließen ihn ein zweites Mal in die Bewußtlosigkeit sinken. Das Letzte, an das er sich erinnerte, als er in eine noch tiefere Schlucht fiel, in die nachtschwarze Tiefe barmherzigen Vergessens, war die Frage, warum sein Mund voller Blut war und was mit seinen Zähnen passiert sei.

Nur Augenblicke, nachdem er das Bewußtsein verloren hatte, senkte der Hubschrauber ihn auf der ebenen Oberfläche des oberen Staudammes ab, und Männer in gelben Jacken hoben ihn an seinem Tragegurt von dem Haken. Sie nahmen auch Boris Dudko ab, diesen heroischen Sohn von Mütterchen Rußland. Und danach ... sie gingen mit Jazz Simmons nicht sehr behutsam um, aber davon spürte und merkte er nichts.

Und ihm war auch nicht bewußt, daß ihm der Traum jedes Geheimdienstchefs der westlichen Welt gewährt wurde: Er wurde ins Innere des Perchorsk Institutes gebracht.

Das Problem war nur, da wieder herauszukommen ...

ZWEITES KAPITEL

Obwohl sich die Sache hinzog, war eine Missionsauswertung eine sehr behutsame Angelegenheit, weit weniger kalt und klinisch als Simmons erwartet hatte. Natürlich mußte in seinem Fall schonend vorgegangen werden, weil er dem Tode nahe gewesen war, als seine Freunde ihn aus der UdSSR geschmuggelt hatten. Das war vor einigen Wochen gewesen – das hatten sie ihm wenigstens gesagt. Und auch jetzt noch schien er ein ziemliches Wrack zu sein.

Die Sache lief behutsam ab, aber manchmal war es auch sehr irritierend. Nicht zuletzt, weil sein Verbindungsoffizier die ganze Zeit darauf bestand, ihn »Mike« zu nennen, wo er doch genau wissen mußte, daß Simmons immer nur entweder »Michael« oder »Jazz« gerufen worden war – und in Rußland natürlich Mikhail. Aber das war nur ein sehr kleines Ärgernis im Vergleich zu seiner Freiheit und der Tatsache, daß er immer noch am Leben war.

An seine Zeit als Gefangener konnte er sich kaum erinnern, fast gar nicht. Der Geheimdienst vermutete, daß man ihn einer Gehirnwäsche unterzogen hatte. Man hatte ihm wohl suggeriert, das zu vergessen, aber auf jeden Fall hatten sie sich nicht lange damit aufgehalten. Für sie war es wichtiger, zu erfahren, wie sein Auftrag lautete und was er in Erfahrung gebracht hatte. Vielleicht hatten die Roten sogar kurzzeitig geplant, ihn umzudrehen und ihn zum Doppelagenten umzuprogrammieren. Aber dann überlegten sie es sich anders und entledigten sich seiner, indem sie seinen mit Drogen vollgepumpten und entkräfteten Körper in das Abflußbecken unterhalb des Staudammes warfen. Er war acht Kilometer unterhalb des Perchorsk Instituts gefunden worden, als er auf dem Rücken liegend in ruhigem Wasser trieb. Er driftete langsam den Wasserfällen entgegen, wo er zweifellos den Tod gefunden hätte. Und in dem Fall ... das passierte nun einmal häufiger: Ein Holzfäller, der nebenbei Gold aus dem Fluß wäscht, ein gewisser Mikhail Simonow, fällt ins Wasser, die Kälte betäubt ihn und er ertrinkt. Ein Unfall, wie er jedem zustoßen kann; er wäre nicht der Erste und ganz bestimmt auch nicht der Letzte, dem so etwas passierte. Im Westen würde man sich natürlich denken können, was wirklich passiert war – falls man denn überhaupt von seinem Verbleib erfahren würde.

Aber Simmons war nicht ertrunken; Leute mit der »rechten Gesinnung« hatten nach ihm gesucht, nachdem er nicht in das Holzfällercamp zurückgekehrt war, in dem er Quartier bezogen hatte. Sie hatten ihn gefunden, hatten sich um ihn gekümmert und ihn an Agenten weitergeleitet, die ihn über eine oft erprobte Fluchtroute hinausgeschmuggelt hatten. Jazz erinnerte sich nur an winzige Einzelheiten davon – kurze verschwommene Eindrücke, die er bei den wenigen Gelegenheiten aufgeschnappt hatte, zu denen er bei Bewußtsein war. Er hatte Glück gehabt. Sehr viel Glück ...

Sein Tagesablauf während der langen Genesungszeit war simpel. Unbequem, aber simpel. Er wachte auf und hatte Schmerzen, die allmählich stärker wurden; Schmerzen, die direkt aus seinen Adern zu kommen schienen und sich nicht auf ein bestimmtes Organ oder eine bestimmte Extremität eingrenzen ließen. Er konnte sich nicht bewegen, sein Torso war eingezwängt in etwas, das er für einen Streckverband hielt. Sein linker Arm war geschient und eingegipst und sein Kopf verbunden. Beim Aufwachen war es jedesmal, als gleite er aus einem dunklen, surrealen Land in eine nicht weniger bizarre Welt voll grauer Schatten und verschwommen fremdartiger Bewegungen hinüber.

Durch seine Bandagen drang Licht, aber es war, als versuche man, durch zentimeterhohen Schnee oder ein tief vereistes Fenster zu blicken. Offenbar war sein ganzes Gesicht heftig zerschnitten, aber es war den Ärzten gelungen, seine Augen zu retten. Jetzt mußten diese geschont werden, so wie der Rest seines Körpers. Simmons war nie besonders eitel gewesen, und er fragte auch jetzt nicht, wie sein Gesicht aussehen mochte. Aber er machte sich seine Gedanken darüber. Das war nur natürlich.

Seine Träume beunruhigten ihn am meisten, diese Träume, an die er sich nicht richtig erinnern konnte und von denen er nur wußte, daß sie ihn heftig aufwühlten, Träume voller Spannung und Skrupel. Er dachte über sie nach und machte sich seine Gedanken in der Zeit zwischen dem Aufwachen und dem Einsetzen der Schmerzen, aber danach galt seine Aufmerksamkeit nur noch dem Schmerz. Wenigstens hatten sie ihm eine Klingel gegeben, auf die er drücken konnte, damit sie wußten, daß er wach war. »Sie«: Die Engel dieser besonderen Hölle auf Erden, sein Arzt und sein Verbindungsoffizier.

Sie kamen dann, bloße Schatten durch den Schleier seiner Bandagen. Der Arzt fühlte seinen Puls – er tat nie mehr als das – und gluckste wie ein besorgtes Huhn; der Verbindungsoffizier sagte: »Ganz ruhig, Mike, ganz ruhig!« Und dann kam die Nadel. Sie betäubte ihn nicht, sie linderte nur den Schmerz und erleichterte das Reden. Er redete nicht nur, weil sein Verbindungsoffizier das von ihm wollte, und weil er wußte, daß das seine Pflicht war, sondern auch aus reiner Dankbarkeit. So schlimm konnten Schmerzen sein.

Man hatte ihn beruhigt: Auch wenn er schwere Verletzungen hatte, waren keine bleibenden Schäden zu erwarten. Er war operiert worden und weitere Eingriffe standen noch bevor, aber das Schlimmste war überstanden. Das Schmerzmittel, das sie einsetzen mußten, führte zu schwerer körperlicher Abhängigkeit, und jetzt durchlief er eine Entziehungsphase, aber die Dosierungen gingen zurück und bald würde er nur noch auf die Pillen angewiesen sein. Die Schmerzen seien dann bei weitem nicht mehr so heftig. In der Zwischenzeit mußte der Verbindungsoffizier alles herausbekommen, was Simmons wußte – auch die allergeringste Information – und er mußte sich sicher sein, daß das alles der Wahrheit entsprach. Diese verdammten »Roten Teufel« konnten ihn ja auch mit Informationen gefüttert haben, die falsch waren, »man weiß es ja nich'«. Mit den Mitteln, die denen heute zur Verfügung standen, konnte man die Erinnerungen eines Menschen manipulieren, seine Wahrnehmungen, »seinen ganzen Erfahrungshorizont«. Jazz hatte nicht gewußt, daß es noch Leute gab, die so redeten.

Und so, um sicher zu sein, daß sie auch den »wirklichen Kram«

von ihm präsentiert bekamen, hatten sie ganz am Anfang begonnen, noch bevor Simmons vom Secret Service rekrutiert worden war, eigentlich sogar schon vor seiner Geburt ...

Simonow war ein naheliegender Name für ihn gewesen, weil das der Name seines Vaters war. Mitte der Fünfziger Jahre war Sergei Simonow in Kanada zum Westen übergelaufen. Er war als Trainer einer aufstrebenden sowjetischen Eiskunstlauflaufmannschaft dorthin gekommen. Aber auch wenn er auf dem Eis diszipliniert und die Ruhe selbst war, war er ansonsten aufbrausend und neigte zu voreiligen und unüberlegten Entschlüssen. Später, wenn er sich wieder beruhigt hatte, änderte er häufig seine Meinung, aber es gibt Dinge, die kann man nicht einfach wieder ungeschehen machen. Überlaufen gehört dazu.

Sergeis Affaire mit einem kanadischen Eislaufstar ging in die Brüche und er war plötzlich allein in einem fremden Land. Er hatte jedoch Angebote aus den USA, und die völlige Freiheit war immer noch ein berauschendes Gefühl. Als Trainer einer Eislauftruppe aus New York war er Elizabeth Fallon begegnet, einer britischen Journalistin, die als Auslandsberichterstatterin in den USA arbeitete, und sie hatten sich ineinander verliebt. Es folgte eine überstürzte Verlobung und Heirat. Elizabeth verschaffte Sergei einen Job in London und Michael J. Simmons war in Hampstead geboren worden, auf den Tag genau neun Monate nach dem ersten Treffen seiner Eltern in einem serbischen In-Lokal in Greenwich Village.

Sieben Jahre später, am 29. Oktober 1962, ein oder zwei Tage, nachdem Chruschtschow wegen Kuba klein beigegeben hatte, spazierte Sergei in die russische Botschaft und kam nicht wieder heraus. Zumindest sah man ihn im Westen nicht wieder. Seine greisen Eltern hatten ihm aus einem Ort in der Nähe von Moskau geschrieben, wo es ihnen alles andere als gut ging. Sergei war deprimiert wegen seiner Ehe, mit der es seit einiger Zeit bergab ging, und sein unzeitgemäßes erneutes Überlaufen war wieder eine seiner typisch überhasteten Entscheidungen. Er wollte nach

Hause gehen und sehen, was er aus dem Scherbenhaufen noch retten konnte. Elizabeth Simmons – sie hatte immer auf die englische Schreibweise des Namens bestanden – meinte nur: »Lieber ein Ende mit Schrecken ... Ich hoffe, sie schicken ihn irgendwohin, wo er viel Eis um sich hat!« Wie es sich später herausstellte, taten »sie« genau das. Im Herbst 1964, in der Woche vor Jazz´s neuntem Geburtstag, erfuhr seine Mutter von den zuständigen staatlichen Stellen, daß Sergei Simonow erschossen worden war, nachdem er bei einem Fluchtversuch aus einem Arbeitslager in der Nähe von Tura in der sibirischen Tundra einen Wachmann getötet hatte.

Sie weinte ein wenig, wegen der guten Zeiten, die sie gehabt hatten, und dann ging das Leben weiter. Aber für Jazz ...

Jazz hatte seinen Vater sehr geliebt. Diesen dunkelhaarigen, gutaussehenden Mann, der abwechselnd in zwei verschiedenen Sprachen mit ihm sprach, der ihm schon als kleines Kind das Eis- und das Skilaufen beigebracht hatte, und der so leidenschaftlich von seinem weitläufigen Vaterland sprach und damit einen Samen in ihm pflanzte, ein tiefsitzendes und anhaltendes Interesse an allem, was mit Rußland zu tun hatte – ein Interesse, das bis auf den heutigen Tag anhielt. Er hatte auch bitter über die Ungerechtigkeiten dieses Systems geklagt, aber das war einfach zu hoch für Jazzs kindliches Verständnis gewesen. Aber jetzt, im Alter von gerade mal neun Jahren, holten die Worte seines Vaters ihn wieder ein und bekamen einen Sinn und Gehalt, der mit seinem Wissensdurst in Konflikt stand. Der Vater, den Jazz geliebt hatte und an dessen Rückkehr er nie gezweifelt hatte, war tot, und das Rußland, das Sergei Simonow geliebt hatte, hatte ihn umgebracht. Von da an galt Jazzs Interesse nicht so sehr der überwältigenden Größe dieses Landes und den Menschen, die dort lebten, als vielmehr der Maschinerie, von der sie unterdrückt wurden.

Jazz hatte seit seinem fünften Lebensjahr eine Privatschule besucht und sein Hauptfach, das von einem Privatlehrer, aber auch durch ständige Übung mit seinem Vater, vermittelt wurde, war selbstverständlich Russisch. Mit zwölf war es offensichtlich, daß er das Verständnis eines Linguisten für die Sprache hatte. In einem speziell für ihn erstellten Test erreichte er fast 100% der möglichen Punkte. Er besuchte die Universität und hatte mit siebzehn einen Abschluß in Russisch. Im Alter von zwanzig hatte er dem noch einen Abschluß in Mathematik hinzugefügt, einem Fach, das seinem scharfen analytischen Verstand immer gelegen hatte. Etwa ein Jahr später starb seine Mutter an Leukämie. Er hatte kein Interesse an einer akademischen Karriere und verdingte sich als technischer Übersetzer und Dolmetscher. Seine Freizeit verbrachte er mit jeder Form von Wintersport; einem Plaisier, dem er weltweit nachging, soweit das Klima und seine Finanzen es zuließ. Er hatte einige Affären, aber keine ernsthaften Beziehungen.

Und dann, im Alter von dreiundzwanzig Jahren, bei einem Urlaub im Harz, lernte Jazz einen Major der britischen Armee kennen, der dort an einem Wintermanöver teilnahm. Simmons' neuer Freund war ein Mitglied des Nachrichtendienstes der Rheinarmee. Dieses Zusammentreffen veränderte sein Leben. Ein Jahr später war Jazz als Unteroffizier in der gleichen geheimen Einheit in Berlin stationiert. Aber Berlin und die britischen Operationen im sowjetischen Sektor sagten ihm nicht sonderlich zu, und der Secret Service hatte schon ein Auge auf ihn geworfen und wollte nicht, daß man ihm zu viel Aufmerksamkeit schenkte. Er hatte das Zeug zu einem Außenagenten, und jetzt sollte er das Geschäft wirklich kennenlernen. Man sorgte für seine Entlassung, und die nächsten sechs Jahre seines Lebens waren verplant. Michael J. Simmons war mit der Entwicklung der Dinge hoch zufrieden.

Von jetzt ab hieß es: Ausbildung, Ausbildung und noch mehr Ausbildung. Er wurde in Überwachung und Personenschutz unterrichtet, in Tarnung und Täuschung, Kampf unter Winterbedingungen, Überlebenstraining, Waffengebrauch – er brachte es bis zum Scharfschützen –, Sabotage und Nahkampf. Das einzige, was sie ihm nicht beibringen konnten, war praktische Erfahrung.

Jazz sollte gerade als Dolmetscher im diplomatischen Dienst

nach Moskau fliegen, als Pill auftauchte. Seine ursprüngliche Aufgabe wurde jemand anderem übertragen – es war sowieso nicht mehr als eine weitere Übung gewesen –, und er wurde der Operation Pill zugewiesen. Der Secret Service hatte den Einsatz geplant, seit die Sowjets mit dem Bau des Perchorsk Instituts begonnen hatten, und die »regionalen Einsatzkräfte« waren alle organisiert und einsatzbereit. Jazz wurde gründlich mit seiner neuen Identität vertraut gemacht und kam zweiter Klasse als der Durchschnittstourist Henry Parsons in Moskau an. Seine russischen Papiere bekam er eine Stunde später. Ein Agent, der bereits in Rußland war, übernahm seine Parsons-Identität – inklusive seinem Pass und allem anderen – und flog an seiner Stelle nach London zurück. »Einer rein, einer raus, und das ganze Spiel ist neu gemischt!« hatte sein Verbindungsoffizier ihm erklärt. »Wie beim Bäumchen-wechsle-dich.«

Jazz wußte so gut wie nichts über den Moskauer Teil der Operation. Man hatte ihn da bewußt nicht eingeweiht; nur für den Fall der Fälle. Das gleiche galt auch für die Verbindungsmänner in Magnitogorsk, wo die Eisenbahnlieferungen durchkamen, die zum Perchorsk Institut rollten. Simmons war ein wenig verwundert, daß sein Verbindungsoffizier so enttäuscht war, weil er so wenig über diese Sachen wußte. Er hatte das Gefühl, daß der Mann gern noch mehr gehört hätte, obwohl er wirklich jede Einzelheit erzählt hatte, an die er sich erinnern konnte. Aber es war nun einmal so: Ihm waren nur die Dinge gesagt worden, die er wissen mußte, und diese Dinge mußte er eben nicht wissen.

Was die Organisation vor Ort anging – über die wußte er alles! Und in seinen vielen Sitzungen hatte Jazz auch alles erzählt.

In den 50er Jahren hatte Chruschtschow eine politisch unzuverlässige Gruppe von jüdischen Bauern in der Ukraine zerschlagen und Bauern aus der Gegend um Kiev in die Dörfer an den östlichen Ausläufern des Urals umgesiedelt. Vielleicht hatte er gehofft, die Kälte würde ihnen den Rest geben. Man hatte ihnen Land und eine Arbeitsquote zugewiesen. Ihre Aufgaben: Holz fällen und im Winter Fallen stellen. Die alteingesessenen »Komsomol« Offiziere von den westsibirischen Öl- und Gasfeldern sollten sie dabei beaufsichtigen und kontrollieren. Es war zwar kein richtiges Arbeitslager, aber anfangs war es auch nicht viel besser gewesen.

Aber die ukrainischen Dissidenten waren ein komisches Volk: Sie hielten durch, erfüllten ihr Soll, zeigten dabei sogar ein starkes Verantwortungsbewußtsein und erschlossen die Gegend. Ihr Erfolg, vor allem aber auch die rapide Entwicklung der viel wichtigeren Öl- und Gasindustrien im Osten, machte eine strikte Kontrolle der jüdischen Siedlungen schwierig, eigentlich auch unnötig. Ihre Kontrolleure hatten besseres zu tun. Man konnte nicht verleugnen, daß eine bislang unproduktive Region jetzt über eine leistungsfähige Holz- und Pelzindustrie verfügte, die natürliche Ressourcen sinnvoll nutzte und Arbeitsplätze schaffte.

Chruschtschows Plan war offenbar aufgegangen, und aus einem faulen Pack von aufrührerischen politischen Außenseitern waren gute, nützliche Sowjetbürger geworden. Wenn das doch überall so gut klappen würde! Auf jeden Fall wurden die Besuche der Inspektoren immer seltener, je besser der Plan funktionierte.

Das war genau das, was die Juden gewollt hatten: Ihre Ruhe und die Möglichkeit, ihr eigenes Leben zu führen. Das Klima mochte sich ändern, sie nie. Hier in ihren Holzfällercamps am Fuß der Berge waren sie mehr oder weniger zufrieden. Man ließ sie in Ruhe, und es blieb immer mehr als genug übrig, um das Leben lebenswert zu machen. Ein hartes, aber akzeptables Leben. Sie hatten genug Holz, um im Sommer damit zu bauen und im Winter damit zu heizen, es gab Fleisch in Mengen und all das Gemüse, das sie anbauen konnten. Und sie hatten sogar einen ansehnlichen Nebenverdienst aus dem illegalen Handel mit Pelzen. In den Flüssen gab es geringe Goldvorkommen, nach denen sie suchten und sie ausbeuteten, manchmal mit Erfolg. Jagdwild und Fische gab es reichlich, flexible Einteilungen sorgten dafür, daß das Arbeitspensum gerecht verteilt wurde, und jeder bekam seinen Anteil an dem, was an »Wohlstand« und den Annehmlichkeiten des Lebens zur Verfügung stand. Selbst die

Kälte war auf ihrer Seite: Sie hielt Neugierige fern, und Einmischungen von außen gab es nur selten.

Einige der Siedler hatten rumänisches Blut und starke familiäre Bindungen an ihre alte Heimat. Ihre politischen Ansichten ließen sich nicht mit denen von Mütterchen Rußland in Einklang bringen. Und auch sie würden sich nie anpassen – nicht, solange nicht jede Form von Unterdrückung abgeschafft war und die Leute nach ihrer eigenen Fasson arbeiten und beten konnten, und solange sie nicht auswandern durften, wenn sie das wollten. Sie waren Juden und sie waren Ukrainer, die sich selbst als Rumänen sahen, und wenn sie die Wahl gehabt hätten, hätten sie sich vielleicht auch als Russen gesehen. Aber in erster Linie waren sie Weltbürger und gehörten niemandem außer sich selbst. Ihre Kinder wurden mit den gleichen Einstellungen und Anschauungen erzogen.

Kurz gesagt, wenn auch viele der umgesiedelten Familien nur Bauern mit vagen politischen Überzeugungen waren, so gab es doch eine ganze Reihe von Leuten in den Camps und Dörfern, die Antikommunisten und potentielle, zum Teil auch aktive, Dissidenten waren. Sie pflegten ihre rumänischen Verbindungen und Kontakte, und ähnliche Gruppen in Rumänien hatten gute Kontakte in den Westen.

Mikhail Simonow – mit amtlichen Dokumenten ausgestattet, nach denen er ein in der Stadt aufgewachsener Raufbold und Störenfried war, dem man die Wahl gelassen hatte, entweder freiwillig zu dem Pionier-Komsomol zu gehen, wenn er nicht ... – war zu einer von diesen Familien gekommen, zu den Kirescus im Dorf Yelizinka. Er sollte dort als Holzfäller arbeiten. Nur der alte Kazimir Kirescu und sein ältester Sohn Yuri wußten von Jazzs eigentlicher Mission da am Fuße des Urals, und sie deckten ihn, damit er so viel Bewegungsfreiheit wie möglich hatte. Angeblich war er dann auf Goldsuche, auf der Jagd oder beim Fischen – aber Kazimir und Yuri wußten sehr wohl, daß er in Wirklichkeit spionierte. Und sie wußten auch, worin seine Aufgabe bestand: daß er das Geheimnis der militärischen Testanlage im Herzen der Perchorsk Schlucht ergründen sollte.

»Du riskierst nicht nur deinen Hals, du verschwendest auch deine Zeit«, hatte der alte Mann schroff zu Jazz gesagt, ein paar Tage nachdem er bei den Kirescus eingezogen war. Jazz erinnerte sich gut an diese Nacht: Anna Kirescu und ihre Tochter Tassi waren bei einem Treffen der Dorffrauen und Yuris jüngerer Bruder Kaspar schlief schon in seinem Bett. Es war eine ideale Gelegenheit für ihr erstes wichtiges Gespräch gewesen.

»Du mußt da nicht hingehen, um zu erfahren, was los ist«, fuhr Kazimir fort. »Yuri und ich, wir können dir das auch so sagen, wie die meisten Leute hier. Sie reden aber nicht darüber.«

»Es ist eine Waffe!« warf sein baumlanger Sohn Yuri ein. Yuri hatte eine poltrige Art, aber ein Herz, das so groß war wie der Rest von ihm. Beim Sprechen wedelte er mit den Armen und nickte mit seinem struppigen Kopf. »Eine Waffe, wie sie noch keiner je gesehen hat, oder sich auch nur vorstellen könnte. Etwas, das die Sowjets stärker als alle anderen machen soll. Sie haben das da unten in der Schlucht gebaut, sie haben es ausprobiert – und die Sache ist in die Hose gegangen!«

Der alte Kazimir hatte zustimmend gegrunzt und zur Bestätigung ins Feuer gespuckt. »Das war vor etwas mehr als zwei Jahren«, begann er und starrte in die Flammen, die in der großen Feuerstätte des Hauses hochbleckten, »aber wir wußten schon Wochen vorher, daß etwas im Busch war. Wir konnten die Maschinen laufen hören. Die großen Motoren, die das Ding antreiben.«

»Das stimmt«, Yuri übernahm wieder das Erzählen. »Die großen Turbinen unten in der Staumauer. Ich weiß noch, wie die vor vier Jahren eingebaut worden sind, bevor sie das Bleidach über die ganze Anlage gezogen haben. Da war das Jagen und das Fischen rund um den alten Pass schon verboten, aber ich bin trotzdem immer wieder hingegangen. Als sie diesen Staudamm gebaut haben – verdammt, der künstliche See war randvoll mit Fischen! Es war das Risiko wert, einen Anschiß und eine Verwarnung zu bekommen, wenn man sich dort erwischen ließ. Aber was die Turbinen angeht: Ich war wirklich dumm genug zu glauben, daß wir an das Stromnetz angeschlossen werden sollten. Elektrischen Strom gibt es hier immer noch nicht ... aber wofür haben die wohl die ganze Energie gebraucht, häh?« Er tippte sich an die Nase.

Sein Vater fuhr fort: »Manchmal ist es hier in einzelnen Nächten so still, daß ein Ruf oder ein bellender Hund Kilometer weit gehört werden kann. Und eben auch das Geräusch der Turbinen, als sie die das erste Mal in Betrieb genommen haben. Obwohl die tief unten in der Schlucht waren, konnte man das Quietschen und das Stampfen bis hier ins Dorf hören. Und was den Strom angeht, den die da produziert haben – das läßt sich leicht beantworten: Sie haben ihn für all diese Bohrungen und Ausgrabungen gebraucht, für die Elektrobohrer und Fräsen, für das Licht und die Sprengzündungen. Ja, und natürlich für ihre Heizungen und ihren Komfort, während wir hier in Yelizinka immer noch mit Holz heizen müssen. Die müssen Tausende von Tonnen Gestein aus der Schlucht rausgeschafft haben, und Gott allein kann wissen – bitte entschuldige den Ausdruck – was für einen Fuchsbau die da in den Berg gebuddelt haben!«

Und dann war wieder Yuri dran: »Und da haben sie dann die Waffe gebaut – unter dem Berg! Und dann haben sie sie getestet! Vater und ich, wir hatten ein paar Fallen aufgestellt und kamen in dieser Nacht sehr spät nach Hause. Ich kann mich noch gut erinnern: Es war eine Nacht, so wie heute: hell und sternenklar. Selbst da, wo es im Wald am dunkelsten war, konnten wir durch die Baumwipfel die Nordlichter wie einen blassen Schleier am nördlichen Himmel sehen ...

Das Summen der Turbinen war lauter als je zuvor. Es war, als würde die Luft davon vibrieren. Aber es war ein entferntes Vibrieren, denn natürlich ist das Institut von hier zehn Kilometer weit weg. Vater und ich, wir waren irgendwo in der Mitte, vielleicht vier oder fünf Kilometer von der Schlucht entfernt. Auf jeden Fall kriegst du so eine Ahnung davon, wieviel Energie die aus dem Fluß holten.«

»Auf der Spitze von Grigors Kamm«, nahm Kazimir den

Faden auf, »haben wir angehalten und uns umgesehen. Ein Lichtschimmer wie der des Nordlichtes spielte um den Rand der Perchorsk Schlucht. Ich bin nun wirklich einer der Ersten gewesen, die sich hier niedergelassen haben – eines der ersten Opfer von Chruschtschows Plan, könnte man sagen – und in all diesen Jahren habe ich nichts Vergleichbares gesehen. Das war nicht natürlich, das war die Maschine, die Waffe! Und dann ...«, er schüttelte den Kopf, ihm fehlten für den Augenblick die Worte, »... was danach passierte, war schrecklich.«

Yuri wurde an diesem Punkt ganz unruhig und erzählte jetzt weiter: »Die Turbinen liefen so schnell, daß sie ein schrilles Pfeifen von sich gaben. Und plötzlich ... es klang wie ein scharfes Keuchen oder ein Seufzen. Ein Lichtstrahl – nein, ein Lichtkegel, wie ein großer leuchtender Zylinder – wallte aus der Schlucht hoch, ließ die Berge taghell aufstrahlen und schoß in den Himmel. Aber in welchem Tempo! Blitze sind im Vergleich dazu langsam. So schien es wenigstens. Es war ein Lichtstoß, man konnte ihn nicht wirklich sehen, nur den Nachhall, der sich in den Augen festbrannte. Und im nächsten Moment war es weg, wie eine Rakete, die in den Himmel gefeuert wird. Wie ein Blitz, nur umgekehrt. Ein Laser? Ein gewaltiger Suchscheinwerfer? Nein, das trifft es nicht – es war viel körperlicher!«

Jazz hatte bei dieser Beschreibung gelächelt, nicht aber der alte Kazimir. »Yuri hat recht. Bevor das passiert ist, war die Nacht sternenklar, aber innerhalb von einer Stunde ballten sich Wolken aus dem Nichts zusammen und es begann ein warmer Regen. Und dann blies ein heißer Wind aus den Bergen heraus, wie der Atem eines wilden Tieres. Am Morgen kamen die Vögel von den Bergen und aus den Hochtälern herunter und starben. Tausende! Und die anderen Tiere auch! Kein einfacher Lichtstrahl kann so etwas bewirken, egal wie stark der ist. Und das ist noch nicht alles, denn direkt nach diesem Test – nachdem dieser Lichtstrahl in den Himmel geschossen ist – da roch es furchtbar verbrannt. So wie elektrisches Feuer? Vielleicht war das Ozon? Und danach hörten wir die Sirenen.«

»Sirenen?« Das interessierte Jazz besonders. »Vom Institut her?«

»Natürlich. Woher sonst? Ihre Warnsirenen. Es hatte einen Unfall gegeben, einen schweren Unfall. Das munkelte man jedenfalls. Und in den nächsten zwei oder drei Wochen ... Hubschrauber flogen hin und her, Krankenwagen rasten über die neue Straße und Männer in Strahlenschutzanzügen spritzten die Wände der Schlucht ab. Und alles redete von ›Rückstoß‹! Die Waffe war zwar in den Himmel abgeschossen worden – aber der Rückschlag hatte sich in der Höhle ausgebreitet, in der sie untergebracht war. Es war wie ein Schmelzofen: Das Gestein zerschmolz, die Decke stürzte ein und beinahe wäre alles in die Luft geflogen. Im Laufe der folgenden Woche wurden sehr viele Tote abtransportiert, und seitdem haben die keine weiteren Versuche mehr unternommen.«

»Und jetzt?« Yuri mußte das letzte Wort haben. Er zuckte mit den breiten Schultern. »Sie werfen immer mal wieder die Turbinen an, aber wohl nur, um sie zu warten. Wie mein Vater schon sagte, es ist still um die Waffe. Es gibt keine Tests mehr. Vielleicht haben sie bei dem ersten Versuch etwas gelernt, und vielleicht war das etwas, was sie eigentlich gar nicht wissen wollten. Ich glaube, sie haben gemerkt, daß sie das nicht kontrollieren können. Meiner Meinung nach haben sie diese Waffe abgeschrieben. Aber das erklärt natürlich nicht, warum sie immer noch hier sind; warum sie nicht alles abgebaut haben und wieder abgezogen sind.«

Jazz hatte genickt: »Das ist eine der Sachen, die ich hier herausfinden soll. Wißt ihr, eine Menge sehr wichtiger, sehr kluger Männer im Westen machen sich ihre Gedanken über das Perchorsk Institut. Und je mehr ich darüber erfahre, desto mehr glaube ich, daß sie gut daran tun ...«

Eines Nachts, als sie Jazz seine Pillen gaben, schluckte er sie nicht. Er tat so, als würde er es tun, schob sie in einen Mundwinkel und trank das Wasser, ohne sie damit herunterzuspülen.

Es war zum Teil eine Form von Auflehnung – gegen das, was im Effekt eine physische und sogar psychische Einkerkerung war, wenn auch aus gut gemeinten Motiven – zum Teil auch etwas anderes. Er brauchte Zeit zum Nachdenken. Das war etwas, was er einfach nicht hatte: Zeit zum Nachdenken. Entweder er schlief, oder er nahm Pillen, die ihn einschlafen ließen; er hatte Schmerzen oder fühlte sich betäubt durch die Spritzen, die die Schmerzen linderten und ihm halfen, mit seinem Verbindungsoffizier zu reden. Er hatte nie die Möglichkeit, einfach nur dazuliegen und nachzudenken.

Vielleicht wollten sie nicht, daß er nachdachte. Und das brachte ihn zu der Frage: Warum wollten sie das nicht? Sein Körper war vielleicht schwer verletzt, aber mit seinem Verstand schien alles in Ordnung zu sein.

Als er allein war – nachdem er gehört hatte, wie sie hinausgegangen und die Tür hinter sich geschlossen hatten – drehte er seinen Kopf ein wenig und spie die Pillen aus. Sie hinterließen einen bitteren Geschmack im Mund, aber damit konnte er leben. Wenn die Schmerzen zu stark wurden, konnte er immer noch die Klingel betätigen. Der Knopf befand sich direkt neben seiner freien Hand und er mußte ihn nur mit dem Zeigefinger antippen.

Aber die Schmerzen kamen nicht, so wenig wie der Schlaf, und jetzt konnte Jazz endlich nur daliegen und nachdenken. Und was noch besser war – nach kurzer Zeit klärten sich seine Gedanken. Verglichen mit der geistigen Trägheit, an die er sich in den letzten Wochen gewöhnt hatte, arbeitete sein Verstand jetzt sogar messerscharf. Und er stellte sich wieder all die Fragen, die er sich in der letzten Zeit gestellt hatte, bei denen er aber nie die Zeit für Antworten gefunden hatte. Zum Beispiel: Wo zum Teufel waren seine Freunde?

Er war jetzt seit einiger Zeit – zwei Wochen vielleicht? – aus Rußland zurück. Und die einzigen Leute, die er bisher gesehen hatte – oder besser gesagt, die einzigen, die ihn sehen konnten – waren ein Arzt, Nachrichtendienstler und eine Krankenschwester, die manchmal unartikuliert grunzte, aber nie ein Wort sagte. Er hatte doch Freunde im Secret Service. Die mußten wissen, daß er wieder da war. Warum waren sie nicht gekommen, um ihn zu besuchen? War er so schwer verletzt? Sah er so schrecklich aus?

»So schlecht fühle ich mich aber gar nicht«, murmelte Jazz vor sich hin.

Er bewegte seinen rechten Arm und ballte die Faust. Der Durchstich in seinem Handgelenk war verheilt, und neue Haut hatte sich über den Einstichen an der Vorder- und der Rückseite gebildet. Es war reines Glück gewesen, daß die Spitze des Eispickels zwischen den Knochen durchgeglitten war und keine Schlagader durchtrennt hatte. Die Hand war ein wenig steif und außer Übung, aber das war alles. Er hatte Schmerzen, aber die ließen sich ganz gut ertragen. Bei genauerem Nachdenken tat ihm eigentlich zur Zeit gar nicht so viel weh. Aber natürlich konnte er sich nur sehr eingeschränkt bewegen, oder? Jazz beschloß, es besser nicht zu versuchen.

Was war mit seinen Augen? War es in seinem Zimmer hell oder dunkel? Der durch die Bandagen verursachte »Schnee« war dick und undurchlässig. Sie hatten gesagt, sie hätten ihm das Augenlicht gerettet. Was war damit? Hatten seine Augäpfel herausgehangen oder so etwas? »Das Augenlicht gerettet« konnte alles mögliche bedeuten. Es konnte zum Beispiel heißen, daß er zwar noch zu sehen vermochte – sagte aber nichts darüber aus, wie gut.

Zum ersten Mal seit er hier war, überfiel ihn jetzt richtige Panik. Vielleicht hatten sie ihm etwas verschwiegen, bis er seinen Bericht komplett abgeliefert hatte, um ihn nicht zu erschrecken oder abzulenken: Wo Leben ist, ist auch Hoffnung, oder etwas in der Art. War das möglich? Was, wenn sie ihm nicht alles erzählt hatten?

Jazz bekam sich wieder unter Kontrolle und fauchte verächtlich. Hah! Ihm alles erzählt? Gott, sie hatten ihm gar nichts erzählt. Er war derjenige, der die ganze Zeit – geredet hatte ...

Diese neue Kontrolle über seine Gedanken führte ihn in eine beängstigende neue Richtung, und von da an ging es steil abwärts: Je mehr er die Alternativen bedachte, desto schneller ging es bergab und desto entsetzlicher wurde es: Teile eines Puzzles, von dem er bisher nicht gewußt hatte, daß es überhaupt existierte, paßten plötzlich zueinander. Und das Bild, das sich auftat, war das eines Clowns, einer Marionette, die seinen Namen trug: Michael Jazz Simmons – Volltrottel!

Er winkelte den rechten Ellbogen ab, hob die Hand an seinen bandagierten Kopf und begann, an den Verbänden zu zerren, die seine Augen bedeckten. Aber vorsichtig: Er brauchte nur einen Schlitz, nicht mehr. Einen schmalen Spalt zwischen den Bandagen. Er wollte etwas sehen, ohne dabei gesehen zu werden.

Nach kurzer Zeit meinte er, es geschafft zu haben. Es war schwer, sich da sicher zu sein.

Der Schnee war immer noch da, aber wenn er die Augen zusammenkniff, erschien das Licht – von dem nicht viel da war – beinahe natürlich. Es war so wie in seinen Kindertagen: Er hatte damals immer im Bett gelegen, die Augen zu Schlitzen verengt, und das langsame, regelmäße Atmen eines Schlafenden vorgespielt. Wenn seine Mutter dann hereinkam und das Licht anknipste, stand sie vor seinem Bett und sah ihn an, und sie war sich nie ganz sicher, ob er jetzt wach war oder schlief. Mit den Bandagen über den Augen sollte diese Vorspiegelung noch viel leichter fallen.

Er streckte seinen Arm wieder aus, fand den Klingelknopf und drückte ihn. Jetzt wußte die Krankenschwester zwar, daß er wach war, aber das Prinzip war das gleiche: Wenn sie kam, würde er sie sehen können und sie würde das nicht bemerken. Das hoffte er zumindest!

Nach kurzer Zeit ertönten leise, gemächliche Fußtritte. Jazz drückte den Kopf in die Kissen zurück und wartete im Dunkel seines Krankenzimmers. Um ihn herum summte die Klimaanlage leise, und die Luft roch ein wenig nach einem Antiseptikum. Wo sein Körper sie berührte, waren seine Laken ein wenig rauh. Er dachte: *Das ist irgendwie nicht so wie ein richtiges Krankenhauszimmer. Krankenhäuser sind immer auf eine bestimmte Art künstlich, die haben so etwas Unwirkliches. Aber das hier erweckt den Eindruck einer nachgeahmten Künstlichkeit ...*

Dann öffnete sich die Tür und das Licht ging an.

Jazz blinzelte direkt nach oben. Nur die Tatsache, daß seine Augen zusammengekniffen waren, bewahrte ihn vor der blendenden Helligkeit der nackten Glühbirne, die an einem Kabel von der Decke hing. Und die Decke selbst: Sie bestand aus dunkelgrauem Stein, zernarbt durch Sprengungen und durchzogen von eng übereinanderliegenden Gesteinsschichten. Das Hospital, in dem Jazz lag, war eine von Menschen gemachte Höhle, oder zumindest war es Teil einer solchen.

Er war zu schockiert, um sich zu bewegen, und als er so erstarrt in seinem Bett lag, kam die Krankenschwester zu ihm herüber. Er versuchte, die Wut und den Abscheu zu unterdrücken, die in ihm aufwallten, und drehte langsam den Kopf, um sie zu sehen. Sie widmete ihm kaum einen Blick und nahm nur routinemäßig seinen Arm, um den Puls zu fühlen. Sie war klein und fett, trug ihr Haar glatt und kurzgeschnitten wie ein mittelalterlicher Ritter und die Uniform und die gestärkte Haube einer Krankenschwester. Aber nicht die einer britischen Krankenschwester. Einer sowjetischen. Und mit einem Schlag wurden Jazzs schlimmste Befürchtungen Wahrheit.

Er fühlte ihre Finger an seinem Handgelenk und riß seine Hand weg. Sie japste überrascht, machte einen Schritt zurück und der Absatz eines ihrer flachen schwarzen Schuhe trat auf etwas, das darunter knirschte. Sie erstarrte, sah auf den Boden, blickte daraufhin scharf zu Jazz hinüber und runzelte die Stirn. Ihre grünen Augen zogen sich zusammen, als sie versuchte, den Schlitz in seinen Bandagen zu durchdringen. Vielleicht sah sie das stählerne Glitzern der grauen Augen darunter, auf jeden Fall japste sie ein zweites Mal und schlug die Hand vor den Mund.

Dann ging sie in die Knie, sammelte die Überreste der Tablette auf und kam wieder hoch. Auf ihrem pummeligen Gesicht stand der Zorn geschrieben. Sie starrte Jazz an, dann machte sie auf dem Absatz kehrt und stapfte zur Tür. Er ließ sie so weit kommen, dann rief er sie an: »Genossin?«

Sie blieb unwillkürlich stehen, wirbelte herum, reckte ihren Kiefer vor, und funkelte dem Spion ihren Hass entgegen. Dann stürzte sie hinaus und schlug die Tür hinter sich zu. In ihrer Hast, das alles zu melden, hatte sie das Licht angelassen.

Ich habe wahrscheinlich zwei Minuten, bevor die Sache hier heiß wird, dachte Jazz. *Die sollte ich besser sinnvoll nutzen.*

Er sah nach links hinüber, zu seiner angeblich gelähmten Seite, und sah da eine flache Schale mit einer blassgelben Flüssigkeit auf einem Beistelltischchen. Er legte den Kopf in den Nacken und reckte seinen Hals so weit wie möglich in die Richtung. Als er tief einatmete, stach ihm ein scharfer antiseptischer Geruch in die Nase. Wie einfach war es doch, eine Krankenhausatmosphäre vorzutäuschen: Linoleumfliesen auf dem Boden, um die Schritte zu dämpfen, eine Schüssel mit TCP für den antiseptischen Geruch und einen konstanten Luftzug mit steriler, temperierter Luft. So einfach war das.

Die Wände von Jazzs Zimmer – seiner Zelle? – bestanden aus Wellblechplatten, die auf vertikale Säulen genietet waren. Jazz vermutete, daß die Zwischenräume verstärkt waren, um den Raum isoliert und schalldicht zu halten. Oder vielleicht war es auch so, daß dieser ganze Teil tatsächlich ein Krankenhaus war, für die Mitglieder des Instituts. Nach dem Perchorsk Zwischenfall hatte man wahrscheinlich eine solche Notwendigkeit erkannt. Eine Hospitalstation war praktisch für regelmäßige Untersuchungen und war dann wahrscheinlich direkt neben einer Dekontaminationsstation angelegt, vorausgesetzt, daß es hier immer noch einen Atommeiler gab.

Drüben im Westen waren sie sich ziemlich sicher, daß hier einer installiert worden war. Auf jeden Fall hatte Jazz bereits ein Strahlenmeßgerät an der Wand entdeckt; zur Zeit war die Anzeige grün und nur ein schmaler rosa Streifen zeigte sich in der Öffnung.

Die unebene Felsdecke war im Durchschnitt vielleicht drei Meter hoch; sie schien sehr solide zu sein, und es gab keine Brüche oder Risse, die Jazz sehen konnte. Trotzdem – und da halfen auch die massiven Stahlsäulen nicht – verspürte er einen Anflug von Klaustrophobie, eine Ahnung von dem enormen

Gewicht des Felsens, der auf ihn hinunterdrückte. Denn jetzt hatte er keinen Zweifel mehr daran, wo er war: Unter dem Ural.

Hastende Schritte erklangen und die Tür wurde aufgestoßen. Jazz hob seinen Kopf, so weit es ihm möglich war und starrte auf die Leute, die da schnaufend in den Raum strömten. Zwei Männer, und hinter ihnen kam die fette Schwester. Direkt hinter ihnen schritt ein dritter Mann. Sein Kittel und die Spritze in seiner Hand verrieten sofort, wer er war: der von Jazz so hochgeschätzte Pulsfühler, der glucksende Doktor. Naja, jetzt hatte er etwas, worüber man glucksen konnte.

»Mike, mein Junge!« Der erste Mann, in gewöhnlicher Zivilkleidung, winkte die anderen zurück. Er näherte sich allein dem Bett und sagte: »Was erzählt uns die Schwester da? Du hast deine Pillen nicht genommen? Warum nicht? Hattest du Probleme mit dem Schlucken?« Die einschmeichelnde Stimme war die von Jazzs Verbindungsoffizier.

Jazz nickte steif. Seine Stimme war schroff: »Das ist richtig, alter Junge, die sind mir irgendwie im Hals steckengeblieben.« Er hob die linke Hand und zerrte an den vorgetäuschten Verbänden. Er riß sie sich von den Augen. Er starrte auf die vier, die da erstarrt vor ihm standen, wie Insekten, in Bernstein gefangen.

Nach kurzer Überlegung murmelte der Doktor etwas auf Russisch, machte einen ungeduldigen Schritt nach vorn und drückte den Kolben der Spritze ein wenig herunter. Der zweite Mann im Raum, der ebenfalls Zivilkleidung trug, ergriff ihn am Arm und hielt ihn auf. »Nein«, sagte Chingiz Khuv knapp auf Russisch zu dem Arzt. »Merkt ihr denn nicht, daß er Bescheid weiß? Da er jetzt nun mal wach ist, die Sache durchschaut hat und bei klarem Verstand ist, soll er auch so bleiben. Außerdem will ich mit ihm reden. Er gehört jetzt mir.«

»Nein«, erklärte Jazz und blickte ihn fest an. »Jetzt gehöre ich mir! Wenn sie mit mir sprechen wollen, dann sorgen Sie besser dafür, daß ich wieder mit Drogen vollpumpt werde. Das ist die einzige Möglichkeit, mich zum Reden zu bringen.«

Khuv lächelte, trat direkt an das Bett heran und sah auf Jazz hinunter: »Oh, Sie haben bereits genug erzählt, das kann ich Ihnen versichern, Mr. Simmons,« sagte er ohne eine Spur von Bosheit. »Aber ich will Sie auch gar nicht befragen. Ich beabsichtige, Ihnen ein paar Dinge zu erzählen, und Ihnen vielleicht das eine oder andere zu zeigen. Das ist alles.«

»Ach?«

»Oh ja, ganz bestimmt. Ich werde Ihnen sogar das verraten, was Sie am meisten wissen wollen: nämlich alles über das Perchorsk Institut. Was wir hier beabsichtigt hatten, und was tatsächlich geschehen ist. Würde ihnen das gefallen?«

»Aber sicher«, entgegnete Jazz. »Und was wollen Sie mir zeigen? Den Ort, wo Sie diese verfluchten Monster züchten?«

Khuv runzelte die Stirn, aber dann lächelte er wieder. Und nickte: »Ja, so ungefähr. Nur eines sollten Sie von vornherein wissen: Wir züchten sie nicht.«

»Oh, aber sicher doch.« Auch Jazz nickte. »Das ist etwas, da sind wir uns ziemlich sicher. Das hier ist der Ursprung. Hier wurde es geboren – oder ist es geschlüpft.«

Khuvs Mine änderte sich nicht. »Sie haben unrecht. Aber das war zu erwarten, denn Sie kennen nur die Hälfte der Geschichte – bis jetzt. Es ist von hier gekommen, aber es wurde nicht hier geboren. Nein, geboren wurde es auf einer ganz anderen Welt.« Er setzte sich auf die Bettkante und blickte Jazz durchdringend an. »Ich halte Sie für jemanden, der weiß, wie er am Leben bleibt, Mr. Simonow.«

Jazz konnte sich ein spöttisches Schnauben nicht verkneifen. »Werde ich das hier überleben?«

»Das ist gut möglich.« Khuvs Lächeln war jetzt völlig ungekünstelt, als habe er eine ganz besondere Pointe auf der Zunge. »Zuerst müssen wir Sie wieder auf die Beine bringen und Sie ein wenig herumführen, und dann ...«

Jazz drehte ihm fragend den Kopf zu.

»Und dann ... dann werden wir sehen, wie gut Sie wirklich darin sind, am Leben zu bleiben.«

DRITTES KAPITEL

Der Komplex, der in das Bergmassiv an Grund der Perchorsk Schlucht gebaut worden war, war gewaltig, und Chingiz Khuv konnte einen gewissen Grad an vaterländischem Stolz auf diese Leistung nicht verhehlen, als er Michael J. Simmons herumführte – aber er hatte auch einen gehörigen Respekt vor Jazzs gut ausgebildeter Begabung zur Sabotage. Auf ihrem Rundgang war der britische Agent buchstäblich in einer Zwangsjacke verschnürt, einem Kleidungsstück, das ihn von der Hüfte aufwärts bewegungsunfähig machte, und falls das nicht ausreichen sollte, so war immer noch Karl Vyotsky da, der grimmige Leibwächter seines KGB Bosses.

»Sie können das alles auf den Technologiewettlauf schieben, wenn Sie denn einen Sündenbock brauchen«, erklärte Khuv. »Die Amerikaner mit ihren Mikrochips, ihren Spionagesatelliten und den komplizierten und so furchtbar cleveren elektronischen Überwachungssystemen. Ich meine, wo bleibt denn da die Geheimhaltung, wenn sie sich in jedes beliebige Telefongespräch weltweit einklinken können, hmm? Und das sind nur ein paar Beispiele dafür, wie man an geheime Informationen herankommen kann. Die Kunst der Spionage,« – er warf einen kurzen Seitenblick auf Jazz, aber ohne Feindseligkeit – »hat viele Formen und bedient sich einiger erstaunlicher, man könnte auch sagen erschreckender Begabungen. Auf beiden Seiten, sowohl im Osten wie im Westen. High Tech auf der einen Seite, das Übernatürliche auf der anderen.«

»Das Übernatürliche?« Jazz hob fragend eine Augenbraue. »Für mich sieht das Perchorsk Institut ziemlich real aus. Und ich muß auch leider zugeben, daß ich nicht an Geister glaube.«

Khuv lächelte und nickte. »Ich weiß. Wir haben das überprüft – vielleicht erinnern Sie sich daran?«

Jazz wirkte einen Moment lang verwirrt, dann begann er zu überlegen. Jetzt, wo er darüber nachdachte, fiel es ihm wieder ein. Es war Teil seiner Befragung gewesen, aber zu der Zeit hatte er nicht darüber nachgedacht. Tatsächlich hatte er es für einen Witz seines Verbindungsoffiziers gehalten, als der ihn fragte, was er über INTESP oder das E-Dezernat wußte, wo Spionage mit Hilfe von ESP-Fähigkeiten betrieben wurde. ESPionage! Nun, Jazz hatte davon gar nichts gewußt und er hätte es wahrscheinlich auch nicht geglaubt, wenn man ihm davon erzählt hätte.

»Wenn Telepathie funktionieren würde«, erklärte er Khuv, »dann hätte man mich ja wohl nicht hierher schicken müssen, oder? Dann gäbe es keine Geheimnisse mehr!«

»Richtig, ganz richtig«, antwortete Khuv nach einer kleinen Weile. »Das habe ich auch gedacht – vor langer Zeit. Und wie Sie sehr zu Recht bemerkt haben«, er beschrieb mit den Armen eine ausholende Geste, »das alles hier ist ziemlich real.«

›Das alles‹ war die Turnhalle, in der Jazz seit einer Woche trainierte, um nach den vierzehn Tagen, die er flach liegend verbracht hatte, wieder in Form zu kommen. Die Tatsache, daß sie ihm so leicht alles entlockt hatten, was er wußte, wurmte ihn immer noch. Karl Vyotsky hatte seinen Pullover ausgezogen und trainierte ein paar Minuten mit den Gewichten. Jazz meinte, daß er die Wartezeit nutzen und auch etwas für seinen Körper tun könne.

Er bezweifelte nicht, daß Khuv ehrlich und geradeheraus antworten würde, egal, was er ihn fragte. In dieser Beziehung war der KGB Major völlig offen. Andererseits jedoch – warum sollte er nicht ehrlich zu ihm sein? Er ging damit kein Risiko ein. Er wußte, daß Jazz nie wieder von hier wegkommen würde. Das war von Anfang an klar gewesen. Meinten sie jedenfalls.

»Sie überraschen mich mit ihrer Klage über den Stand der amerikanischen Technologie«, bemerkte er. »Man hatte mir eine Widerstandsfähigkeit von 75% gegen Gehirnwäsche attestiert, aber ich habe einfach so losgeplappert, als habe man mir den Stöpsel herausgezogen. Keine Folter, nicht mal eine Drohung, Penthathol wirkt bei mir nicht – und trotzdem habe ich geredet wie ein Wasserfall. Wie zum Teufel haben Sie das gemacht?«

Khuv warf ihm einen Blick zu, dann sah er wieder Vyotsky zu, der mit den Gewichten hantierte, als bestünden sie aus Pappmaché. Auch Jazz sah Vyotsky fasziniert zu.

Khuvs Untergebener war riesig: fast 1,90 m groß und etwas über 100 kg schwer, aber alles Muskeln. Er schien fast keinen Hals zu haben, und seine Brust war wie ein Faß, das sich aus einer schmalen Taille hochwölbte. Seine Schenkel waren rund und fest in der hellblauen Hose. Er bemerkte Jazzs Blick, grinste ihn durch seinen schwarzen Bart an und präsentierte einen Bizeps, bei dem ein Bär Angst bekommen konnte. »Na, wie wäre es mit einer Sparring-Runde, Engländer?« Er beendete seine Übungen und ließ die Gewichte krachend auf den Boden fallen. »Vielleicht mit den Fäusten – im Ring?«

»Allzeit bereit, Iwan.« Jazz lächelte grimmig und sprach mit leiser Stimme »Ich schulde dir noch etwas für ein paar Zähne, falls du dich erinnerst.«

Vyotsky zeigte wieder seine Zähne, ohne dabei zu lächeln, und streifte sich den Pullover über. Khuv drehte sich zu Jazz um: »Reizen Sie Karl nicht zu sehr, mein Freund. Er hat Ihnen zwanzig Pfund und zehn Jahre Erfahrung voraus. Außerdem hat er ein paar sehr häßliche Angewohnheiten. Als wir Sie da oben auf dem Berg gestellt haben, hat er Ihnen zwar ein paar Zähne herausgeschlagen, aber Sie können mir glauben, Sie haben noch Glück gehabt. Er wollte Ihnen den Kopf abreißen. Und wahrscheinlich könnte er das sogar, wenn er sich ein wenig Mühe geben würde. Vielleicht hätte ich das sogar zugelassen, wenn es nicht so eine schreckliche Verschwendung gewesen wäre. Und davon hatten wir hier nun wirklich genug.«

Sie hatten ihren Rundgang wieder aufgenommen, gingen quer durch die Turnhalle und kamen in einen Raum, der ein kleines Schwimmbecken enthielt. Das Becken war nicht mit Fliesen ausgekleidet, es war einfach an einem natürlichen Felsspalt entlang aus dem Gestein gesprengt worden. Hier, wo die unebene, mit Felsadern durchzogene Decke ein wenig höher war, schwammen einige Mitarbeiter des Instituts in dem beheizten Wasser. Im Raum erklang das Echo von Fleisch, das auf Plastik klatschte, weil zwei Frauen sich einen Wasserball zupritschten. Ein schlanker Mann mit schütterem Haar trainierte auf einem Sprungbrett.

»Was Ihre Befragung angeht ...«, Khuv zuckte mit den Schultern, »... nun, es gibt High Tech und High Tech. Der Westen hat seine Mikrotechnologie und wirklich hervorragende Elektronik und wir haben unsere ...«

»Bulgarischen Chemiker?« Jazz unterbrach ihn.

Der geflieste Gang am Pool entlang war nass und rutschig.

Er stolperte. Vyotsky fing ihn mit hartem Griff auf und half ihm, das Gleichgewicht wiederzufinden.

Jazz fluchte verhalten. »Wissen Sie eigentlich, wie unbequem es ist, in diesem Ding herumzulaufen?« Er sprach von seiner Zwangsjacke.

»Eine notwendige Vorsichtsmaßnahme. Es tut mir leid, aber die ist wirklich unumgänglich. Die meisten Leute hier sind nicht bewaffnet. Das sind Wissenschaftler, keine Soldaten. Natürlich werden die Zugänge zum Institut von Soldaten bewacht, aber die sind nicht hier untergebracht, auch wenn ihre Quartiere nicht weit weg sind. Es gibt hier zwar auch ein paar Soldaten, aber das sind Leute mit besonderen Aufgaben. Und deswegen, wenn es ihnen gelänge zu entkommen ...« Wieder dieses Achselzucken. »Sie könnten eine Menge Schaden anrichten, bevor jemand wie Karl hier sie aufhalten würde.«

Hinter dem Schwimmbecken kamen sie durch eine weitere Tür in einen sanft geschwungenen Gang, den Jazz als den Rundgang wiedererkannte. So nannten sie diesen Tunnel: den Rundgang. Es war ein mit Metall verkleideter, mit Gummi ausgelegter Stollen, der ungefähr in der Mitte um den ganzen Komplex herumführte. Vom Rundgang aus führten Türen nach innen in die zahlreichen Arbeitsbereiche des Institutes. Es gab immer noch ein paar Türen, durch die Jazz noch nicht gegangen war; solche, die einen besonderen Sicherheitscode verlangten. Aber er hatte die Wohnbereiche gesehen, die Krankenstation, den Freizeitbereich, den Speisesaal und einige der Labors, aber nicht das Kernstück der Anlage selbst, wenn es denn so etwas gab. Khuv hatte ihm jedoch versprochen, er würde am heutigen Tag das »Zentrum« der Anlage zu sehen bekommen.

Khuv ging voran. Jazz folgte und Vyotsky bildete die Nachhut. Es kamen ihnen Leute entgegen und gingen an ihnen vorbei, die Laborkittel oder Schutzanzüge trugen. Einige hielten Klemmmappen und Notizblöcke, andere Elektrogeräte oder Maschinenteile. Der Ort hätte ebensogut irgendeine High Tech Firma irgendwo auf der Welt sein können. Jazz und seine Begleiter gingen weiter und Khuv redete: »Sie hatten mich wegen Ihrer Befragung angesprochen. Nun ja, Sie hatten recht mit unseren bulgarischen Freunden; die haben wirklich eine Begabung dafür, wirksame Tränke zusammenzubrauen – und ich rede dabei nicht von ihrem Wein. Die Tabletten haben dazu gedient, die Schmerzen hervorzurufen; sie bewirken Muskelkrämpfe und erhöhen die Sensibilität. Die Spritzen sind ein Gemisch aus einer Wahrheitsdroge und einem Sedativum. Sie bewirken eine höhere Empfänglichkeit für Suggestionen. Der Sinn liegt nicht darin, Sie dazu zu zwingen, etwas auszuplaudern, was Sie nicht sagen wollen, es geht vielmehr darum, daß sie damit viel eher bereit sind, alles zu glauben, was wir Ihnen erzählen! Ihr sogenannter Verbindungsoffizier spricht nicht nur ein hervorragendes Englisch, sondern ist auch ein erstklassiger Psychologe. Sie haben also keinen Grund, sich schuldig zu fühlen, weil sie so viel ausgeplaudert haben. Sie hatten gar keine Wahl. Sie haben gedacht, sie seien zu Hause, und Sie würden nur Ihre Pflicht tun.«

Jazz knurrte lediglich statt einer Antwort. Seine Miene zeigte keinerlei Gefühlsregung. Er hielt diese Maske fast die ganze Zeit aufrecht, seit er wußte, daß man ihn hereingelegt hatte.

»Natürlich«, fuhr Khuv fort, »sind auch Ihre eigenen britischen, na sagen wir mal, Chemiker, wirklich gut auf ihrem Gebiet. Diese Kapsel zum Beispiel, die Sie da in Ihrem Mund hatten. Wir hatten keine Möglichkeit, ihren Inhalt hier im Institut zu untersuchen. Das ist nicht verwunderlich: Wir haben hier nicht das ganze Spektrum der Analysetechniken – dafür ist das Perchorsk Institut nicht ausgelegt – aber trotzdem konnten wir zumindest feststellen, daß

Ihre kleine Zahnkapsel eine erstaunlich komplexe Substanz enthält. Daher haben wir sie nach Moskau geschickt. Wer weiß, vielleicht erfahren wir ja etwas, was wir gebrauchen können.«

Während er auf Jazz einredete, musterte Khuv ihn von oben bis unten, wie er es so oft in den letzten Wochen getan hatte. Er sah einen gerade mal dreißig Jahre alten Mann, dem seine Geheimdienstchefs im Westen eine schwere Verantwortung aufgebürdet hatten. Sie hatten offenbar eine hohe Meinung von seinen Fähigkeiten. Und doch, trotz seiner gründlichen Ausbildung und trotz seiner physischen und psychischen Stärke, fehlte Simmons einfach die Erfahrung. Aber andererseits, wie erfahren konnte ein Außendienstagent beim Geheimdienst überhaupt sein? Jeder Auftrag war wie der Wurf einer Münze: Bei Kopf gewinnt man, bei Zahl ... verliert man den Kopf? Oder es war, wie der britische Agent vielleicht selbst sagen würde, eine Art russisches Roulette.

Trotz all der Kenntnisse, die Jazz sich auf den verschiedensten Gebieten angeeignet hatte, waren das alles nur theoretische Fähigkeiten, die bisher im Einsatz noch nicht erprobt worden waren. Denn bei seinem allerersten Einsatz waren die Würfel gegen ihn gefallen, der Bolzen lag an der Kammer, welche die Kugel enthielt. Ein unglückseliger Zustand für Michael J. Simmons, aber ein umso glücklicherer für Chingiz Khuv.

Wieder blickten die dunklen Augen des KGB Majors auf Simmons. Der Engländer war nur geringfügig unter 1,80m groß, vielleicht ein oder zwei Zentimeter kleiner als Khuv selbst. Während der Zeit, in der er sich unter den Holzfällern versteckt hatte, hatte er sich einen roten Bart wachsen lassen, der zu seiner Lockenmähne passte. Der Bart war jetzt weg und offenbarte ein kantiges Kinn und leicht ausgemergelte Wangen. Er hatte auch ein wenig Untergewicht – offenbar schätzten die Engländer es, wenn ihre Agenten mager und hungrig waren. Ein fetter Mann rennt nicht so schnell wie ein schlanker, und er bildet ein viel besseres Ziel.

Trotz seiner Jugend war Simmons' Stirn schon von Falten zerfurcht. Selbst wenn man seine augenblickliche Lage in Betracht zog, so war Simmons wohl auch sonst kein besonders fröhliches Menschenkind, oder auch nur eines, das jemals glücklich gewesen war. Seine Augen waren wach, grau und durchdringend; seine Zähne – mit Ausnahme derer, die Karl ihm ausgeschlagen hatte – waren in gutem Zustand, breit, kräftig und weiß; und um den kräftigen Nacken trug er ein einfaches kleines Kreuz an einer silbernen Kette, sein einziges Zugeständnis an Schmuck. Er hatte Hände, die schwielig, obwohl lang und feingliedrig waren, und Arme, die verhältnismäßig lang wirkten, wodurch er einen ungelenken und tolpatschigen Eindruck machte. Aber Khuv wußte sehr wohl, daß Eindrücke täuschen können. Simmons war ein durchtrainierter Sportler und sein Verstand funktionierte hervorragend.

Sie kamen an einen Teil des Rundgangs, wo Simmons noch nie gewesen war. Hier liefen viel weniger Leute herum, und als die drei um die nächste Kurve des langen Ganges bogen, kam eine Sicherheitstür in Sicht, die den Tunnel komplett versperrte.

Auf den Metern vor der Tür waren die Decke und die Wände feuergeschwärzt; dicke Hitzeblasen hatten sich auf den Anstrichen gebildet. Direkt vor der Tür sah es so aus, als sei die ganze Felsendecke des Tunnels geschmolzen. Das Gestein wirkte, als sei es wie Wachs heruntergelaufen und habe sich am kühleren Metall der künstlichen Wände wieder verfestigt. Die Gummifliesen auf dem Boden waren bis auf die nackten Metallplatten weggebrannt, und die waren so verbogen, daß sie aus ihren Verankerungen gerissen waren. Irgendwie schien es paradox, daß gerade hier ein Flammenwerfer der russischen Armee auf einem Regal an der Außenwand stand und dort mit Klammern befestigt war. In so einer Umgebung hätte Jazz eher einen Feuerlöscher vermutet und bestimmt keinen Flammenwerfer. Er machte sich eine gedankliche Notiz, später danach zu fragen. Jetzt sagte er nur: »Der Perchorsk Zwischenfall.« Er wartete auf eine Reaktion von Khuv.

»So ist es.« Die Miene des Russen blieb ungerührt. Er sah Jazz in die Augen. »Wir nehmen Ihnen jetzt die Zwangsjacke ab. Das hat einen einfachen Grund. In den unteren Etagen brauchen Sie eine gewisse Bewegungsfreiheit. Ich will nicht, daß Sie fallen und sich verletzen. Aber falls Sie irgendeine Dummheit versuchen sollten, hat Karl meine Erlaubnis – nein, er hat sogar meinen Befehl – Ihnen richtig weh zu tun. Außerdem sollte ich Sie darauf aufmerksam machen, daß Sie, wenn Sie da unten verlorengehen, leicht in Zonen mit hoher Strahlenbelastung geraten könnten. Vielleicht schaffen wir es irgendwann einmal, die ganzen Strahlenherde zu dekontaminieren, aber das ist eher unwahrscheinlich. Warum sollten wir das, wenn wir keinen Grund mehr haben, diese Räume je wieder zu benutzen? Sie würden also, je nachdem, wie lange es dauern würde, bis sie aufgeben, oder wie lange wir brauchen würden, Sie da herauszutreiben, massiv Ihre Gesundheit gefährden – sich vielleicht sogar umbringen. War das deutlich?«

Jazz nickte: »Glauben Sie wirklich, ich wäre so dumm, hier fliehen zu wollen? Wo zum Teufel sollte ich denn hin?«

»Ich habe es Ihnen doch bereits erklärt«, erinnerte Khuv, während Vyotsky die Schnallen der Zwangsjacke löste. »Wir haben gar nicht mal so sehr Bedenken, daß Sie den Versuch machen könnten, zu entkommen. Das wäre reiner Selbstmord, und sie haben keinen Grund mehr, den Tod zu suchen – wenn Sie den je hatten. Was uns eher Kopfschmerzen bereitet, ist der Schaden, den Sie anrichten könnten – vielleicht sogar Sabotage in großem Stil. Und das hätte vielleicht wirklich ernste Konsequenzen. Nicht nur für jeden hier, sondern für die ganze Welt.«

Ausnahmsweise zeigte Jazz eine Regung. Er verzog den Mund zu einem humorlosen Grinsen und lachte bitter: »Könnte es sein, daß wir ein bißchen melodramatisch sind, Genosse? Ich glaube, Sie haben zu viele dekadente James Bond Filme gesehen!«

»Ach, glauben Sie?« Khuvs Augen zogen sich geringfügig zusammen und wirkten so ein wenig heller. »Das werden wir ja noch sehen!«

Er zog einen Schlüssel aus der Tasche und wandte sich der Metalltür zu. Sie hatte ein Schloß in der Mitte und darum herum ein drehbares Stahlrad, wie bei einem Banktresor. Als Khuv gerade den Schlüssel ins Schloss stecken wollte, drehte sich dieses Rad um einen Viertelkreis und die Tür sprang einen Spalt breit auf. Khuv trat einen Schritt zurück. Es kam jemand von der anderen Seite.

Die Tür schwenkte den drei wartenden Personen entgegen und eine Gruppe von Technikern und zwei Männer in teurer Zivilkleidung kamen heraus.

Einer der beiden war fett, leutselig und strahlte über das ganze Gesicht – ein hohes Tier aus Moskau. Der andere, der ein ernstes Gesicht machte, war klein und hager. Sein Gesicht war vernarbt und auf der linken Seite seines Gesichts und des mit gelben Adern durchzogenen Schädels fehlten alle Haare. Jazz hatte ihn schon zuvor gesehen: Das war Viktor Luchow, der Direktor des Perchorsk Instituts – ein Überlebender von Zwischenfall Eins und Zwei.

Khuv und die beiden Männer begrüßten sich kurz, dann ging die Gruppe weiter. Jazz und seine Eskorte passierten danach die Tür und Khuv schloß hinter ihnen ab.

Hinter der Tür machte der Komplex einen völlig anderen Eindruck. Im Vergleich zu dem hier waren die bisherigen Schäden auf dem Weg hierhin lächerlich gering. Jazz starrte um sich und versuchte, sich einen Reim auf das Chaos zu machen, das er hier sah. Überbleibsel einer unglaublichen Hitzeentwicklung waren unverkennbar: Stützpfeiler waren rußgeschwärzt und teilweise bis zur Hälfte verschmort, der Fußbodenbelag fehlte völlig und war durch Holzbohlen ersetzt worden. Die äußere Wand – der nackte Felsen – war schwarz, stumpf und blasig, wie Lava, die dort im Fluß erstarrt war. Ein Metallstuhl oder -tisch, was es wirklich gewesen war, ließ sich jetzt nicht mehr ausmachen, und ein Stahlspind ragten in einem verbogenen Wirrwarr aus einem gewaltigen Lavablock, der im Gegenzug an die Wand geschweißt war. Und über diesem unnatürlichen Block war ein zylindrischer Schacht von vielleicht vier Metern Durchmesser in einem Winkel von 45 Grad nach oben durch den Felsen gebohrt worden. Man konnte sehen, daß aus diesem Krater eine große Menge Lava geflossen war.

Jazz sah noch einmal in den dunklen Schlund dieses Schachtes und fragte sich, wie man den aus dem Felsen geschnitten hatte und wohin er führte. Er hob eine Hand und berührte den Rand des Schachtes, da wo er in den Tunnel mündete. Der Felsen war glatt wie Glas, nicht blasig wie die vulkanische Masse, die aus dem Schacht gekommen war. Er bemerkte, daß Khuv ihn beobachtete und warf ihm einen fragenden Blick zu.

»Ich habe mir sagen lassen, das sei einmal ein Schacht durch den ganzen Komplex gewesen, mit einem Durchmesser von etwas weniger als zwei Metern«, erzählte Khuv. »Der ganze Schacht war mit einem hocheffektiven Spiegel aus einem sehr dichten Glas auf undurchdringlichem Keramik ausgekleidet, der eine beinahe hundertprozentige Reflexion garantierte. Nach dem, was Sie den Perchorsk Unfall getauft haben, sind das die Überreste dessen, was von dem Schacht übriggeblieben ist. Ich glaube, man könnte sagen, es ist nicht so gelaufen, wie es geplant war.«

Bevor Jazz antworten konnte, redete er weiter. »Natürlich war ich nicht hier, als das passiert ist. Wissen Sie, Michael – Sie verzeihen doch, daß ich Sie so familiär anrede? – ich arbeite eigentlich auf einem anderen Gebiet, bei einem Zweig des Geheimdienstes, an dessen Arbeit sie nicht glauben wollen. Das ist das E-Dezernat, von dem wir bereits gesprochen haben.«

Jazz sagte nichts, sondern blickte sich weiter um und versuchte, sich alles einzuprägen, was er sah und hörte. Wofür das gut sein sollte, wußte er nicht, aber er hatte es so gelernt. »Ja, das E-Dezernat, Michael«, fuhr Khuv fort. »Auch Ihr Engländer habt Euer E-Dezernat – deswegen mußten wir wissen, ob Sie ein Mitglied dieser Organisation sind. Wenn Sie das gewesen wären ...«, er zuckte mit den Achseln, »dann wären wir gezwungen gewesen, Sie sofort zu liquidieren.«

Jazz hob wieder einmal fragend ein Augenlid.

»Na ja«, sagte Khuv gleichmütig, »wir hätten es nicht zulassen können, daß Sie – weder auf telepathischem noch auf sonst einem Weg – Informationen über diesen Ort an die Außenwelt weitergeben. Auch das wäre sehr gefährlich; wahrscheinlich würde es fast unvermeidlich zum Dritten Weltkrieg führen.«

»Und wieder dieses Melodrama.«

Khuv seufzte tief: »Sie werden es schon noch verstehen. Aber erst suchen Sie sich irgendwo einen Sitzplatz und ich erzähle Ihnen all das, was Sie herausfinden sollten. Wissen Sie, ich will, daß Sie das alles begreifen. Warum, werden Sie später merken.«

Khuv hockte sich auf einen Vorsprung aus schwarzem Fels, und Jazz fand einen Sitzplatz neben dem Stahlschrank, der aus dem Lavaklumpen ragte. Vyotsky blieb stehen, sagte nichts und beobachtete nur. Die Klimaanlage des Instituts summte in der Ferne leise vor sich hin, und abgesehen von diesem Summen und Khuvs Stimme war alles ruhig. Khuv sprach sehr leise und die Wirkung war schauerlich: wie ein Flüstern, das durch ein tief unter der Erde liegendes Grab hallt.

»An allem, was Sie hier sehen, ist in erster Linie die amerikanische SDI Initiative, das Star Wars Programm, schuld«, begann er. »Natürlich hieß es damals noch nicht so, aber die Idee war da. Das hatten wir über die üblichen Geheimdienstkanäle erfahren. Und das Perchorsk Institut war nicht viel mehr als eine komplizierte Theorie, bis die USA wirklich damit anfingen, ihr Verteidigungssystem aus dem All zu puschen. Aber danach lief es dann nach dem üblichen Schema ab: Wir mußten ein noch besseres Verteidigungssystem haben. So wie es mit den Bomben gewesen war, die immer größer und besser sein mußten, so war es auch mit diesem Verteidigungssystem. Wenn das Star Wars System 95% unserer Nuklearkapazitäten abfangen konnte, dann brauchten wir etwas, das die Nuklearwaffen des Westens zu 100% ausschalten würde.

Perchorsk sollte nur der erste Schritt sein, das Testgelände. Wenn es funktioniert hätte, dann wären ähnliche Komplexe ringsum an den russischen Grenzen errichtet worden. Die Satellitenstaaten hätten zwar zusehen müssen, wie sie in einem möglichen zukünftigen Atomkrieg zurechtgekommen wären, aber das sowjetische Kernland wäre geschützt gewesen – vollkommen. Können Sie mir soweit folgen?«

Jazz legte den Kopf auf die Seite. »Sie wollen mir damit sagen, das dies hier«, er blickte nach links und rechts, oben und unten, »nicht als Waffe konzipiert war, richtig?«

»Genau das«, Khuv nickte. »Es war das genaue Gegenteil einer Waffe: ein Verteidigungsschirm. Ein undurchdringlicher Schild direkt über der Zentral-Sowjetunion. Ah! Zeigt sich da plötzlich ein gewisses Interesse? Da haben wir ja doch noch so etwas wie eine Regung. Nun, soll ich weitermachen?«

»Aber sicher doch«, sagte Jazz sofort. »Ich bin ganz Ohr.«

Khuv kehrte zu seiner Geschichte zurück: »Fragen Sie mich nicht, wie die Sache funktioniert; ich bin – na ja – ich bin ›Polizist‹ und kein Physiker! Franz Ayvaz war das Gehirn und der Kopf hinter Perchorsk und Viktor Luchow war sein Stellvertreter. Ayvaz, wie Sie vielleicht wissen, war unser bester Mann auf dem Gebiet der Teilchenbeschleunigung und einiger verwandter Disziplinen; in seinen jungen Jahren hatte er zu den Pionieren der Lasertechnologie gehört; seine Referenzen waren erstklassig und seine Theorie schien – wenigstens auf dem Papier – genau das zu sein, was das Verteidigungsministerium suchte: ein Kraftfeld, das gleich zwei Fliegen mit einer Klappe schlug. Es würde die einfliegenden Raketen abblocken und ihre nuklearen Sprengköpfe völlig harmlos verpuffen lassen.

Das war die Geburt des Perchorsk Projektes vor fünf Jahren, und hier ist es vor drei Jahren gestorben. Ayvaz starb mit ihm, und Luchow versucht immer noch, herauszufinden, was passiert ist. Er sammelt Daten, um alle Ereignisse zu einem Ganzen zusammenzufügen und zu sehen, ob sich von der Idee noch etwas retten läßt. Was da wirklich passiert ist?

In der Theorie hatte das so ausgesehen: Ein Teilchenstrom sollte unten auf den tieferen Ebenen abgestrahlt werden. Da war der größte Teil der Technik untergebracht. Bis zum Äußersten beschleunigt und durch atomaren Beschuß angeregt, würde er hier den Schacht hoch und wie ein gigantischer Laser in die Schlucht hineingestrahlt werden. Wo der Strahl aus dem Schacht in die Schlucht mündete, würde ein Kollektiv von Spiegeln den Strahl fächerförmig aufspalten. Und so würde er sich über den Himmel ins All ausbreiten. Es sollte nur ein Test sein, nichts weiter. Der Allererste einer langen Reihe von Tests.

Aber es gab eine Fehlfunktion bei den Motoren, die die Bewegungen der externen Spiegel steuerten. Sie verklemmten sich im absolut ungünstigsten Moment im ungünstigsten Winkel. Und die Wissenschaftler hier unten hatten unter erheblichem Druck gestanden. Es wurde sehr viel von ihnen in zu kurzer Zeit erwartet, und sie hatten nicht unter optimalen Bedingungen arbeiten können. Eine ganze Reihe von Sicherheitssystemen war nicht installiert worden. Wissen Sie, was passiert, Michael, wenn man den Lauf eines Gewehrs verstopft, es lädt und den Abzug betätigt? Müßig, so etwas einen Mann zu fragen, der ein Experte im Umgang mit Feuerwaffen ist! Natürlich wissen Sie, was passiert.

Nun, und das ist hier passiert. Es gab einen kolossalen Rückstoß. Energien, die ausreichen sollten, einen Winkel im All zwischen Afghanistan und Franz Josef Land abzudecken, wurden in dem Schacht konzentriert und zu ihrer Quelle zurückgeleitet. Es gab einen Zusammenprall von unglaublichen Kräften, es entwickelte sich augenblicklich eine unvorstellbare Hitze und in der unmittelbaren Nachbarschaft des Strahls veränderte sich die Materie selbst. Das ist jetzt natürlich nur meine laienhafte Erklärung als Amateur. Wenn Sie es genauer wissen wollen, müssen Sie Luchow selbst fragen – aber ich garantiere Ihnen, Sie würden ihn nicht verstehen. Jedenfalls nicht, wenn nicht doch noch viel mehr in Ihnen steckt, als wir bisher herausgefunden haben.

So ... das war der Zwischenfall am Perchorsk Institut, »pi«, wie Ihr Leute im Westen das genannt habt. Das Chaos, das Sie hier sehen, ist nicht einmal ein Bruchteil der Verwüstung, die sich da unten abgespielt hat, wo wir gleich hingehen werden. Und was die menschlichen Opfer angeht: Wir haben einen hohen Preis für unsere Hast gezahlt, Michael, einen furchtbar hohen Preis. Aber bei weitem nicht so hoch wie der Preis, den wir vielleicht noch zu zahlen haben werden ...«

Während diese kryptischen Worte noch verklangen, stand Khuv unvermittelt auf. »Laßt uns nach unten gehen.« Seine Worte waren abgehackt, drängend. »Sofort! Wenn wir zwei Etagen tiefer sind, dann bekommen Sie vielleicht mehr ein Gefühl für das, was hier passiert ist.« Jazz rappelte sich auf und folgte ihm, und auch jetzt bildete Vyotsky die Nachhut, ein wenig weiter den Rundgang entlang und dann eine breite, stabile Holztreppe hinunter in eine Landschaft, die nur einer bizarren Phantasie entsprungen sein konnte.

Mit einer Hand locker auf dem Geländer starrte Jazz in die düsteren Abgründe eines gewaltigen Chaos hinunter, auf ein erschreckendes Durcheinander. Das Licht hier war trübe, vielleicht mit Absicht, denn das wenige, was man sehen konnte, war gelinde gesagt verstörend, sogar grausig. Sie gingen durch ein Gewirr von verbogenem Plastik, zusammengebackenen Steinen und angeschmolzenem Metall hindurch. Auf beiden Seiten des Ganges zogen sich erstaunlich gleichmäßige, sauber gebohrte Tunnel von ungefähr einem halben Meter Durchmesser wie Wurmlöcher durch alte Balken. Nur handelte es sich hier eben nicht um morsches Holz, sondern um blanken Fels und zerknickte Stahlträger.

Dem britischen Agenten drängte sich der Gedanke auf, daß irgendetwas, irgendeine gewaltige Kraft, versucht hatte, hier Einförmigkeit herzustellen, aus den vielen verschiedenen Dingen ein gleiches Ding zu machen. Oder versucht hatte, alles zur Unkenntlichkeit zu verbiegen. Es war nicht so, daß die verschiedenen Materialien durch Hitze und Feuer miteinander verschmolzen waren, es schien eher, als seien sie ineinander verdreht wie die Zutaten in einem Teig, oder wie verschiedenfarbige Knetmassen in den Händen eines gigantischen Kindes.

»Das wird noch schlimmer«, sagte Khuv leise und führte sie weiter hinunter. »Diese seltsamen Tunnel sind nicht durch die Magmasse – das ist Viktor Luchows Begriff für dieses Materie-

Chaos, – gebohrt worden – sie wurden da hineingefressen von der Energie, die bei dem Rückstoß deflektiert worden ist. Wir können nur Spekulationen darüber anstellen, wie hoch der Schaden gewesen wäre, wenn die Anlage zu ebener Erde gestanden hätte.«

Die Treppen führten hinunter zu einer regelrechten Halde aus Magmasse, und verliefen erst wieder ebenerdig, als sie an einer vertikal aufragenden Wand aus nacktem Felsen ankamen. Hier bildeten die Bohlen einen Steg, der nach rechts im rechten Winkel abknickte und parallel an der dräuenden Felswand entlangführte. Unter den Balken war der Boden in bizarren Ausformungen aufgewölbt und verzerrt, wo verschiedenste Materialien so ineinander verlaufen waren, daß man nicht mehr erkennen konnte, was sie ursprünglich gewesen waren. Und durch die erstarrte Masse dieses naturhaften und doch so fremdartigen Materials zogen sich diese unregelmäßigen, wurmlochartigen Energiekanäle, so ähnlich den ungeordneten Kanälen, die Krustentiere in den Strand bohren, aber in einem gigantischen Maßstab.

»Hineingefressen«. Jazz grübelte über das Wort nach. »Sie haben gesagt, die Löcher wären in den Fels hineingefressen worden. Was hat die da ›hineingefressen‹?«

»Die fehlende Materie ist eher – sollen wir sagen – umgewandelt worden.« Khuv sah ihn direkt an. »Vielleicht wird die Sache deutlicher, wenn man sagt, daß die Materie in Energie transformiert worden ist. Aber wenn Sie noch ein wenig Geduld haben, kann ich Ihnen ein viel besseres Beispiel zeigen. Wir gehen dahin, wo der Meiler gestanden hat. Auch der ist weggefressen worden – oder umgewandelt, wenn Ihnen das lieber ist.«

»Der Meiler?« Für einen Moment lang ergaben Khuvs Worte in Simmons wild durcheinanderlaufenden Gedanken keinen Sinn.

»Der Atommeiler, der die Hauptstromversorgung für das Institut geliefert hat. Der Rückstoß hat ihn völlig verschluckt. Ja, und danach hat er sich offenbar selbst geschluckt!«

Jazz hätte gern auch bei dieser Aussage nachgefragt, aber jetzt tauchte links von dem Steg ein großes, völlig kreisrundes Loch in der schwarzen Felswand auf. Licht drang aus diesem Tunnel heraus, der steil nach unten führte. Man brauchte Jazz nicht zu sagen, daß dies die Fortsetzung des Schachtes war, den er auf der oberen Etage gesehen hatte und der einmal, aber nur ein einziges Mal, einen katastrophalen Energiestrahl in die Außenwelt transportiert hatte.

Der Steg führte nach links in den Schacht hinein und wurde wieder zu einer Treppe. Nach dem vergleichsweisen Dunkel der beiden Etagen, durch die sie gerade gekommen waren, stachen die grellweißen Lichter hier schmerzhaft in die Augen. Vor ihnen in der Tiefe war das Ende des Schachtes eine weiße Scheibe von strahlender Helligkeit, deren unterer Rand durch eine Plattform abgeschnitten wurde, in die der Steg mündete. Jazz schirmte seine Augen ab und sah einen jungen russischen Soldaten in Uniform, der sich gegen die gekrümmte Wand lehnte. Der Mann raffte sich sofort auf, nahm Habachtstellung ein und klatschte salutierend an den Lauf seiner Kalashnikov.

»Rühren«, befahl Khuv. »Wir brauchen Schutzbrillen.«

Der Soldat lehnte seine Waffe gegen die Wand und wühlte in einem Beutel, den er um die Schulter geschlungen hatte. Er zog drei Brillen aus gefärbten Zellophanfolien auf Pappgestellen hervor. Jazz erinnerte sich, daß er einmal eine solche Brille für einen 3-D-Film bekommen hatte.

»Gegen das Licht«, erklärte Khuv, obwohl das eigentlich nicht notwendig war. »Es blendet, bis man sich daran gewöhnt hat.« Er setzte seine Brille auf.

Jazz tat es ihm nach und folgte ihm die Treppe hinunter durch den glasglatten zylindrischen Schacht. Hinter ihnen erklang ein Scheppern, als der Soldat, der seine Waffe wieder aufheben wollte, sie dabei umstieß, und dann Karl Vyotskys heisere, drohende Stimme, die ihn anschnauzte: »Idiot! Trottel! Wollen Sie einen Monat lang Nachtwache schieben?«

»Nein, Towaritsch!« Der junge Soldat keuchte vor Angst. »Es tut mir leid, Towaritsch! Sie ist mir weggerutscht.«

»Es sollte Ihnen auch leid tun! Und nicht nur wegen der Waffe. Wieso stehen Sie hier eigentlich? Um die Sicherheit zu wahren und die Papiere zu kontrollieren. Deswegen! Kennen Sie den Mann da vorne, und mich, und den Mann, der bei uns ist?«

»Oh ja, Towaritsch! Der Mann ganz vorne ist Genosse Major Khuv, Towaritsch, und Sie sind auch ein Offizier des KGB. Der andere Mann ist ... äh ... ein Freund von Ihnen, Towaritsch!«

»Witzbold!« zischte Vyotsky. »Er ist nicht mein Freund. Und auch nicht Ihrer! Und auch nicht der von sonst einem in diesem verdammten Ding!«

»Towaritsch, ich ...«

»Und jetzt halten Sie die Waffe ordentlich«, bellte Vyotsky. »Auf Armlänge, ein Finger durch den Abzugschutz, ein Finger am Visier. *Was zum Teufel ...?* Auf Armlänge, habe ich gesagt! Jetzt halten Sie sie so und zählen bis zweihundert, langsam! Und dann stehen Sie wieder stramm. Und wenn ich Sie je wieder in einer so schlampigen Haltung erwische, dann schiebe ich Sie mit dem Schwanz zuerst in die weiße Hölle da unten. Verstanden?«

»Ja, Towaritsch!«

Auf dem Weg durch den Schacht dem weißen Schimmer vor ihnen entgegen und im Schlepptau Khuvs, brummelte Jazz finster: »Ein Paragraphenhengst, dieser Karl.«

Khuv blickte sich um und schüttelte den Kopf. »Eigentlich nicht. Disziplin ist nicht gerade seine Stärke. Sadismus schon. Ich hasse es, das zuzugeben, aber manchmal hat das seine Vorteile ...«

Am Ende des Schachtes war eine mit einem Geländer versehene Plattform, wo die Stufen aufhörten und der Steg nach links weiterführte. Khuv blieb auf der Plattform stehen und Jazz stand neben ihm. Während sie auf Vyotsky warteten, starrten sie auf eine groteske Szenerie hinunter.

Es war wie in einer Höhle, aber man konnte diesen Ort beim besten Willen nicht für eine natürliche Höhle halten. Jazz sah, daß das Felsmassiv in der Form einer perfekten Ellipse ausgehöhlt worden war, eine gigantische Blase im Innern des Berges – aber eine Blase, die mindestens 40 Meter im Durchmesser maß. Die gekrümmte, schwarz glänzende Wand darum herum war glatt wie Glas, bis auf die Wurmlöcher, die sie überall durchstachen, sogar in der kuppelförmigen Decke. Die Mündung des Schachtes, da wo Jazz und Khuv standen, zeigte direkt hinunter in die Mitte des Raumes, die auch die Quelle des Lichtes war. Und das war das Irrwitzigste überhaupt.

Denn die Mitte des Raumes bildete ein Lichtball von ungefähr zehn Metern Durchmesser, und offenbar hing er da freischwebend zwischen der Decke und dem nach unten gewölbten Boden. Eine leuchtende Kugel, die bewegungslos in der Luft hing, und das Ganze tief in einem Berg begraben.

Jazz kniff die Augen vor dem grellen Licht zusammen, das trotz der getönten Brillengläser noch blendete, und bemerkte, daß sich noch andere Dinge in der Höhle befanden. Ein spinnwebartiges Gerüst war auf halber Höhe an der Wand entlang und ganz um die Lichtquelle in der Mitte herum gebaut worden. Auf diesem Gerüst ruhte eine Plattform aus Holzbohlen, die sich ganz um diese seltsame Lichtquelle herum zog und die Jazz vage an den Ring um den Saturn erinnerte. Von diesem Ring aus führte ein Steg direkt bis zum Rand der Lichtkugel.

Ganz außen, mit dem Rücken zu der schwarzen, von Wurmlöchern zerfressenen Felswand, waren drei doppelläufige Katjushew Geschütze aufgebaut, deren Mündungen direkt auf das Innere der Leuchtkugel zielten.

Die Geschütze waren bemannt, und die Blicke der Soldaten waren auf die Kugel gerichtet. Die weißen Gesichter schienen zu Aliens zu gehören, mit den Antennen der Kopfhörer und den riesigen insektoiden Brillengläsern, die direkt auf das strahlende Ziel gerichtet waren.

Zwischen den Geschützen und der leuchtenden Kugel ragte ein dreieinhalb Meter hoher Elektrozaun auf. Er hatte nur ein Tor: da, wo der hölzerne Steg eine Verbindung zwischen dem Saturnring und dem Zentrum darstellte. Es gab einige Aktivität da unten, nervös und hektisch, aber nicht viel; der Geruch der Angst war so stark in der angeblich klimatisierten Luft, daß Jazz fast ihre klebrige Ausdünstung auf der Haut spüren konnte.

Er hielt sich an dem hölzernen Geländer fest und prägte sich die gesamte Szenerie unauslöschlich ins Gedächtnis ein: »Was zum Teufel ...?«

Er drehte den Kopf und blickte Khuv an: »Ich habe gesehen, wie die Geschütze angekommen sind, in der Nacht, als ich gefangengenommen worden bin. Zusammen mit dem Elektrozaun. Ich war der Meinung, die seien dazu bestimmt, das Perchorsk Institut vor einem Angriff von außen zu schützen, was für mich aber eigentlich keinen Sinn ergab. Aber aus dem Innern? Mann, das macht genauso wenig Sinn. Ich meine, was ist das für ein Ding? Und warum haben diese Leute so eine furchtbare Angst davor?«

Und plötzlich, ohne daß man es ihm sagen mußte, kannte er die Antwort, ohne eine Erklärung erhalten zu haben. Nicht die ganze Antwort, aber genug. Plötzlich paßte alles zusammen: Alles, was er gesehen hatte, und alles, was Khuv ihm erzählt hatte. Und vor allem dieses fliegende Monster, das die amerikanischen Jagdflieger schmorend in die Hölle geschickt hatten und das in einem Flammenball aus dem Himmel über der Westküste der Hudson Bay auf die Erde gestürzt war. Apropos Feuer: War das da nicht eine aus vier Mann bestehende Flammenwerfereinheit auf der Plattform des Saturnringes? Ja, war es.

Vyotsky hatte sich leise zu Khuv und Jazz gesellt, die am Geländer standen. Er legte Jazz eine gewaltige Pranke auf die Schulter, die diesen zusammenzucken ließ. »Das da, Engländer«, sagte er, »ist so etwas wie ein Durchgang oder ein Tor. Und vor dem Ding an sich haben wir keine Angst.«

Aber Jazz bemerkte, wie gedämpft, vielleicht sogar ein wenig ehrfürchtig, Vyotskys Stimme auf einmal klang.

»Karl hat recht«, sagte Khuv. »Nein, das Tor selbst erschreckt uns nicht – aber ich bezweifle, daß irgendjemand, der noch einigermaßen bei Trost ist, keine Angst vor dem hätte, was manchmal da durchkommt!«

VIERTES KAPITEL

Sie begannen den Abstieg die letzten Holzstufen hinunter zu der Plattform, die Jazz an den Saturnring erinnerte, und dann gingen sie um die zentrale Kugel herum, bis sie sich dem Steg näherten, der zu ihrem kalten, weißglühenden Herzen führte.

Einige Meter vor dem Tor in dem Elektrozaun blieb Khuv stehen und drehte sich zu Jazz um: »Nun, was halten Sie davon?« Er konnte nur von dem strahlend hellen, rätselhaften Globus auf der anderen Seite der Drahttür sprechen, der vielleicht sieben Schritte von Ihnen entfernt hing. Die Kugel war völlig starr, erzeugte keinerlei Geräusche und wirkte doch bedrohlich.

»Sie haben gesagt, hier habe der Atommeiler gestanden«, antwortete Jazz. »Wo denn, mitten in der Luft? – Ja, ist schon okay, das war ein Witz. Sie wollen also sagen, daß bei diesem Rückstoß alles, war zwanzig Meter rund um das Zentrum existiert hat, einfach ... ganz egal was es war ... daß es zu Nichts verdampft ist, richtig?«

»So hätte ich mir das wahrscheinlich auch klargemacht«, meinte Khuv, »das ist aber falsch. Wie ich bereits gesagt habe, es geht um eine Umwandlung. Viktor Luchow zufolge wurde die in dem Schacht eingeschlossene Energie von der vorhandenen Energie – beziehungsweise der freiwerdenden Energie – in dem Atommeiler angezogen. Man könnte es mit einem Nagel vergleichen, der von einem Magneten angezogen wird. Bei der folgenden Verschmelzung gab es keine Explosion. Vielleicht gab es eine Implosion, ich weiß das genauso wenig wie Luchow selbst. Aber das Material, welches das Fundament des Reaktors gebildet hat, und der Meiler selbst mit seinen Brennstäben – ja, und all die Apparaturen, die hier gestanden haben – das alles wurde von innen nach außen bis zu dieser runden Wand da verschlungen, transformiert, also umgewandelt. Auch die Menschen. Siebzehn Nuklearphysiker und Techniker sind augenblicklich verdampft, ohne eine Spur zu hinterlassen.«

Jazz war fasziniert, weniger von Khuvs Erzählstil, als von dem, was er erzählte. »Was ist mit der Strahlung? Es muß doch eine starke Strahlungsemission ..«

Khuv bremste Jazz mit einem Kopfschütteln. »Wenn man in Betracht zieht, wieviel radioaktives Material hier vorhanden war, gab es nur sehr wenig freigesetzte Strahlung. Die Enden dieser Wurmlöcher, sechs oder sieben Meter tief im Fels, waren zum Teil verstrahlt. Wir haben getan, was wir konnten und sie dann versiegelt. In den Stockwerken über uns gibt es immer noch ein paar gefährliche Stellen, aber auch die sind zum größten Teil versiegelt. Und außerdem sind diese Etagen nicht mehr in Benutzung und werden es auch nie wieder sein. Sie haben einen Teil der Magmasse gesehen, aber längst nicht alles. Metall, Plastik und Gestein waren nicht die einzigen Sachen, die bei diesem Energiestoß untrennbar miteinander verschmolzen sind, Michael. Aber Metall, Plastik und Gestein verwesen nicht! Ich bin sicher, Sie verstehen, was ich damit sagen will ...«

Jazz zog eine Grimasse: »Wie hat man ... das Chaos beseitigt? Das muß furchtbar gewesen sein.«

»Das ist es immer noch. Das ist der Grund, warum das Licht da oben gedämpft ist. Man hat die organischen Bestandteile mit Säure herausgeätzt. Anders ging es nicht. Aber das hat Ausbuchtungen in der Magmasse hinterlassen, deren Anblick entsetzlich ist. In Pompeii muß es ähnlich gewesen sein, aber da sind die Umrisse wenigstens noch annähernd menschlich. Nicht in die Länge gezogen oder verknotet oder ... von innen nach außen gekehrt.«

Jazz dachte darüber nach und wollte gar nicht mehr wissen, was Khuv damit genau gemeint haben mochte.

Vyotsky zeigte schon seit einiger Zeit Anzeichen von Nervosität. »Müssen wir hier so herumstehen? Wir geben die perfekten Ziele ab.«

Jazz konnte den Mann nicht ausstehen, er haßte ihn regelrecht. Er hatte ihn vom ersten Augenblick an gehaßt, und er konnte es nicht lassen, ihn mit spitzen Bemerkungen zu traktieren, wann immer sich eine Gelegenheit ergab. Jetzt starrte er den großen

Russen spöttisch an: »Haben Sie Angst, daß die Männer da einen nervösen Zeigefinger haben könnten?« Er nickte in Richtung der Besatzung der nächsten Katjushew. »Oder können die Sie vielleicht auch nicht leiden?«

»Engländer«, fauchte Vyotsky und kam drohend einen Schritt näher. »Ich würde Sie mit Freude da in den Zaun werfen und zusehen, wie Sie verschmoren. Man hat Ihnen gesagt, Sie sollten darauf achten, was Sie sagen. Aber was mich betrifft – ich hoffe, Sie spielen weiter so mit Ihrem Glück. Irgendwann treiben Sie es einmal zu weit.«

»Beruhige dich, Karl«, mahnte Khuv. »Es ist doch genau seine Absicht, dich zu provozieren.« Und zu Jazz gewandt: »Er meint nicht diese Art von Ziel. Oder eigentlich meint er das schon, aber nicht so, wie Sie denken. Diese Mannschaften da haben den Befehl, sofort das Feuer zu eröffnen, wenn irgendetwas – irgendetwas, das auch nur im geringsten ungewöhnlich ist – aus dieser Lichtkugel da kommt. Es ist ihre Aufgabe, das zu vernichten, oder wenigstens den Versuch zu unternehmen, es zu vernichten. Und für diese Befehle spielt es überhaupt keine Rolle, ob wir gerade direkt in der Schußlinie stehen, oder nicht.«

»Aber falls das passieren sollte«, fügte Vyotsky hinzu, »und wenn das, was da durchkommen kann, auch wirklich da durch kommt, dann wäre ich persönlich froh, wenn mich vorher eine Kugel erwischen würde.«

Khuv schauderte sichtlich. »Sehen wir zu, daß wir hier weg kommen. Karl hat recht: Es ist dumm, hier herumzustehen und das Schicksal herauszufordern. Es ist bisher fünfmal passiert, und es gibt keine Garantie, daß es nicht wieder geschieht.«

Als sie sich umdrehten und zu den Treppen zurückgingen, fragte Jazz: »Haben Sie das gefilmt? Ich meine, wenn das in regelmäßigen Abständen vorkommt ...«

»Nicht regelmäßig. Fünf – nennen wir sie einmal ›Zwischenfälle‹ – in zwei Jahren sind nicht gerade häufig. Aber ich sehe, worauf Sie hinauswollen. Oh ja, Michael, wir haben unsere Lektion schnell gelernt. Nach den ersten beiden Zwischenfällen haben wir Kameras installiert, und jetzt sind auch auf den Geschützen Kameras montiert. Sie schalten sich automatisch ein, wenn die Waffen abgefeuert werden. Was die Schützen sehen, wird auch von den Kameras festgehalten – leider nur auf Film. Und was dieses Ding angeht, das Sie im Westen Pill genannt haben: Das war das erste. Niemand hier hatte mit so etwas gerechnet. Das zweite Exemplar war kleiner, aber auch darauf waren wir nicht vorbereitet. Danach waren dann die Kameras bereit.«

»Besteht die Chance, daß ich das zu sehen bekomme, worüber wir hier sprechen?«

Jazz konnte jetzt aufs Ganze gehen; er hatte nur eine winzige, wahrscheinlich sogar gar keine Chance, hier herauszukommen, aber trotzdem wollte er über diese Sache so viel in Erfahrung bringen, wie ihm nur möglich war. Eine winzige Chance war immer noch besser als keine.

»Sicher«, sagte Khuv bereitwillig. »Aber falls Sie es vorziehen, kann ich Ihnen etwas zeigen, daß sehr viel interessanter ist als bloße Filme.«

Etwas an der Art, wie er das sagte, warnte Jazz, auf der Hut zu sein. Trotzdem antwortete er: »Aber sicher, auf jeden Fall. Man muß das Eisen schmieden, solange es heiß ist.«

Bei Vyotskys bösartigem Kichern in seinem Rücken fragte er sich, ob das die richtige Wahl gewesen war ...

Sie stiegen wieder hinauf durch die stillen aber schauerlichen Magmasse-Ebenen bis zum Rundgang, und dem folgten sie bis zu einem abgesicherten Bezirk, in dem die Laboratorien des Perchorsk Institutes lagen. Nachdem Sie durch zwei bewachte Sicherheitstüren gekommen waren, standen sie schließlich vor einer Stahltür mit einem aufgemalten roten Totenschädel und der deutlichen Warnung:

Vorsicht!
Zutritt nur für Wärter und
autorisiertes Personal!

Jazz fragte sich schon wieder, ob das nicht auch ein bißchen zuviel Melodramatik sei, aber Khuv und Vyotsky waren sehr still geworden, und vielleicht sollte er besser ihrem Beispiel folgen. Er verkniff sich seine Bemerkung und überlegte, was mit dem Wort »Wärter« wohl gemeint war. Was für Wärter würde man hier brauchen?

Khuv hatte eine Codekarte aus Plastik, die er in einen Spalt an der Tür steckte. Die Karte wurde akzeptiert, gelesen und zurückgegeben; Schließmechanismen surrten und die Tür öffnete sich mit einem Klick. Bevor er sie ganz aufstieß, gab Khuv Vyotsky ein Zeichen. Der dimmte das Licht im Korridor. Als die Helligkeit abnahm, sah Jazz Vyotskys Gesicht: Es war bleich und mit kaltem Schweiß überzogen. Sein Adamsapfel hüpfte deutlich. Es konnte wohl kaum einen Zweifel daran geben, daß der große Russe hart und gemein war, aber offenbar gab es doch einige Dinge, die ihm zu schaffen machten. Und es schien, als sei Jazz im Begriff, so einem Ding zu begegnen.

Khuv jedoch war so gelassen wie immer. Er schob die schwere Tür auf und bedeutete Jazz, hindurchzugehen. Mit einigen Vorbehalten trat der britische Agent in den dunklen Raum. Vyotsky folgte direkt hinter ihm, und Khuv kam als letzter und schloß die Tür hinter sich.

Es herrschte fast vollständige Dunkelheit: Nur eine Reihe von kleinen roten Lampen mit der Größe von Blitzlichtbirnen leuchteten in der Decke. In ihrem trüben Licht konnte man in dem Raum den rechteckigen Umriss eines Glaskastens sehen, der vor einer Wand stand wie ein gewaltiges Aquarium. Khuvs Stimme drang leise durch die Dunkelheit: »Sind Sie bereit, Michael?«

»Jederzeit.« Aber noch während er das Wort aussprach, wußte er, daß man ihn nicht hierhergebracht hatte, um Goldfische zu bewundern. Mit einem lauten Klicken gingen die Lichter an. In dem Kasten bewegte sich etwas und richtete sich auf!

Hinter Jazz gab Vyotsky ein würgendes Geräusch von sich. Er hatte das hier schon früher gesehen, er hatte gewußt, was ihn erwartete, aber wenn überhaupt, dann hatte dieses Wissen seine instinktive Reaktion auf den Anblick noch verstärkt. Und jetzt, wo Jazz es sehen konnte, konnte er auch verstehen, warum das so war.

Das Ding war so ähnlich wie die Ausbuchtungen in der Magmasse, die Khuv nicht näher beschrieben, die Jazz sich aber vorgestellt hatte. Es war so, aber dann auch wieder nicht, denn es lebte. Es dehnte sich, es zerfloß und starrte mit Augen, in denen die Hölle loderte, durch das dicke Glas des Kastens. Es hatte die Größe eines großen Hundes, aber es war kein Hund. Es war nichts, was Jazz sich hätte vorstellen können, aber gleichzeitig war es ein Konglomerat seiner schlimmsten Alpträume. Es blieb nicht lange genug still, daß er hätte sagen können, was es war. Und noch schlimmer; es schien das nicht einmal selbst zu wissen!

So wie sich das Ding im einen Moment an die Glasscheibe drängte, mochte es so etwas wie ein Egel sein. Die Unterseite war runzlig und hatte die Form eines großen, langgezogenen Saugnapfes. Aber seine vier Füße, der Schwanz und der Kopf waren Teile, die ohne weiteres zu einer riesigen Ratte gehören konnten! So schien es jedenfalls – für einen Sekundenbruchteil. Und dann –

Der Kopf und die Füße verwandelten sich, durchliefen eine schnelle Metamorphose, und wirkten plötzlich menschenähnlich. Ein annähernd humanoides Gesicht schob sich gegen das Glas, und sah dumpf, fast mitleiderregend in den Raum hinein. Es verzog das Gesicht: eine Geste, die sowohl ein Lächeln, wie auch ein Fauchen und eine Drohgebärde darstellen konnte. Und dann klappte der menschliche Kiefer sehr unmenschlich auf. Im Innern war eine Hölle aus Zähnen, die einem Monsterpiranha alle Ehre gemacht hätten.

Jazz trat keuchend einen Schritt zurück und stieß mit Vyotsky zusammen. Der große Russe ergriff ihn an den Schultern und stützte ihn.

In dem Kasten wuchsen aus den Händen des Dinges Haken, mit denen es über das Glas kratzte, das Gesicht fiel in sich zusammen und wurde zu einer schwarzen ledrigen Maske mit einer vorgewölbten Schnauze und großen, spitzen, haarigen

Ohren, wie eine große Fledermaus. Ein Netz spannte sich zwischen den Gliedmaßen und dem Körper und wurde zu Flügeln. Das Ding sprang hoch, prallte gegen die stabile Glasdecke des Kastens und klatschte wieder auf den sandbedeckten Boden zurück.

Jazz war sich vage bewußt, daß jemand – wahrscheinlich Khuv, dachte er, ja, sogar Khuv – »Mein Gott« murmelte. Im gleichen Moment hatte sich das Ding zu einem Wurm mit einem spatenförmigen Kopf verlängert, sich kopfüber in den Sand gestürzt und sich in Windeseile verbuddelt. Es gab noch ein schwaches Beben im Sand und ... alles war ruhig.

Nach langen Momenten stieß Jazz den angehaltenen Atem in einem tiefen Seufzer aus. »Allmächtiger Gott!« sagte er mit schwacher Stimme. Alle drei Männer saugten heftig Luft in ihre erstarrten Lungen. Jazz schloß seinen offenstehenden Mund und sah die beiden Russen an. »Sie wollen mir sagen, daß dieses – dieses Ding – aus der Lichtkugel gekommen ist, oder?«

Im hellem Licht wirkte Khuv bleich, seine Augen waren dunkle Flecken in dem teigigen Gesicht. Er nickte. »Durch das Tor, ja genau.«

Jazz schüttelte irritiert den Kopf: »Aber wie zum Teufel haben Sie es gefangen?« Es schien eine angebrachte Frage.

»Wie Sie sehen können«, erklärte Khuv, »scheut es helles Licht. Und auch wenn es nach Belieben die Gestalt wechseln kann, scheint sein Verstand doch recht primitiv zu sein, wenn man denn überhaupt von einem Verstand reden kann. Es könnte sein, daß das alles nur auf der instinktiven Ebene abläuft. Wir vermuten, daß es das Tor auf der anderen Seite angegriffen hat. In dieser anderen Welt war es wahrscheinlich tiefe Nacht, und die strahlend helle Kugel muß ihm wie ein Feind oder vielleicht auch wie ein Beutetier vorgekommen sein. Aber als es dann auf unserer Seite herauskam – in der Höhle im Fels dort unten – war es plötzlich taghell. Zum Glück für die Leute, die da unten waren, ist es sofort in eines der Wurmlöcher geschlüpft, um dem Licht zu entgehen. Und irgendwer hatte genug Verstand, das offene

Ende eines Stahlschrankes über die Öffnung des Loches zu schieben. Als es wieder aus dem Loch heraus wollte, war es gefangen.«

»Wie lange haben Sie ...«, für Jazz war es sehr schwierig, sich auf seine Worte zu konzentrieren, er konnte kaum seine Augen von dem Kasten losreißen. »Wie lange haben Sie das Ding schon?«

»Seit achtzehn Monaten. Dies war die Begegnung Nr. 3.«

»Der unheimlichen Art.« Jazz hatte schließlich doch wieder zu sich gefunden.

»Wie bitte?« Khuv starrte ihn verständnislos an.

»Ach, nichts«, Jazz schüttelte den Kopf. »Aber sagen Sie mir eins: Was frißt es?« Er wußte nicht, warum er das wissen wollte. Vielleicht war es die Erinnerung an diese Zähne und Khuvs Erwähnung eines Beutetieres.

Khuvs Stirn legte sich in Falten. Nicht mißbilligend, sondern gedankenverloren. Er öffnete die Tür, schaltete das Licht aus und geleitete Jazz und Vyotsky mit einer Geste hinaus. Sie befanden sich wieder auf dem Rundgang, und Khuv ging ihnen voran zu seinem eigenen Quartier. Auf dem Weg dahin fragte Jazz: »Ich nehme doch an, daß es etwas frißt?«

Khuv blieb schweigsam, aber Vyotsky antwortete für ihn. »Oh ja, es frißt. Es ist wohl nicht überlebensnotwendig für das Ding, aber es frißt, wenn es die Gelegenheit dazu bekommt. Es frißt Menschen – oder alles andere, wenn es nur blutige rote Eingeweide hat! Jedenfalls würde es das fressen, wenn es das bekommen könnte. Sein Wärter füttert es mit Blut und Schlachtabfällen. Die Sachen werden durch einen Schlauch in den Kasten geleitet. Er weiß genau, wieviel er dem Ding geben darf. Wenn es zu viel bekommt, wird es kräftiger und kräftiger. Bekommt es zu wenig, schrumpft es und verfällt in Starre. Wenn sie eine Möglichkeit gefunden haben, wie man gefahrlos damit umgehen kann, werden sie versuchen, herauszufinden, wie es funktioniert.«

»Sie?«

»Die Spezialisten aus Moskau«, sagte Vyotsky mit einem Achselzucken. »Die Leute, die ...«

»Karl!« Khuv brachte ihn mit einem Wort zum Schweigen. *So, obwohl ich ein Gefangener bin und trotz der ganzen vordergründigen »Glasnost« von Khuv, gibt es hier also immer noch Sachen, über die man nicht redet,* dachte Jazz.

»Spezialisten«, sagte Khuv, »ja, das ist richtig. Wenn sie etwas über dieses Ding herausbekommen, erfahren sie so vielleicht auch etwas über die Welt, aus der es kommt.«

Etwas anderes ging Jazz noch durch den Kopf: »Was haben die Flammenwerfer zu bedeuten, die hier überall herumstehen?«

»Ist das nicht offensichtlich?« murrte Vyotsky. »Bist du doch dümmer, als du vorgibst, Engländer?«

»Feuer bringt sie um«, sagte Khuv. »Soweit wir bisher wissen, ist das fast das einzige, das diese Wirkung hat. Wir haben jedenfalls noch nichts anderes gefunden.«

Jazz nickte. Die Dinge begannen in seinem Kopf langsam einen Sinn zu ergeben. »Ich fange an, die Möglichkeiten zu sehen«, sagte er trocken. »Sie müssen mir gar nicht erst sagen, woher Ihre Spezialisten kommen. Von der Abteilung zur Erforschung von chemischen und biologischen Waffen am Protze Prospekt, nicht wahr?«

Khuv gab keine Antwort. Sein Mund war zu einem gezwungenen Lächeln erstarrt. Jazz nickte. Sein eigener Gesichtsausdruck war eine Mischung aus Sarkasmus und Abscheu. »Das wäre doch mal eine richtige biologische Waffe, was?«

Sie waren an Khuvs Quartier angekommen. Khuv öffnete die Tür: »Möchten Sie vielleicht noch einen Drink, oder soll ich Sie von Karl zu Ihrer Zelle zurückbringen und ein wenig durchschütteln lassen, damit Sie bessere Manieren lernen?« Seine Stimme war eisig. Jazz hatte einen empfindlichen Punkt getroffen. Der britische Agent begriff die Zusammenhänge viel schneller, als es Khuv recht war.

Jazz sah in Vyotskys grinsendes Gesicht und sagte: »Nun, ich glaube, ich nehme doch lieber den Drink.«

»Gut, aber denken Sie immer daran: Sie sind nicht in einer Position, wo Sie sich Kritik erlauben können. Sie sind ein Spion, ein

Mörder, und wenn sie die Möglichkeit hätten, wären Sie auch ein Saboteur. Und noch eines sollten Sie nicht vergessen: Sie haben hier überhaupt keinen Überblick. *Wir* haben nicht mal einen Überblick! Waffen? Solche wie – das da? Ich persönlich würde lieber den ganzen Laden zumachen, einbetonieren und das Tor für alle Zeiten verschließen – wenn das überhaupt ginge. Das gleiche gilt für Viktor Luchow. Aber das Institut wird vom Verteidigungsministerium finanziert. Die haben dieses Projekt angeordnet. Wir kontrollieren hier gar nichts, Michael, wir werden selbst kontrolliert. Und jetzt können Sie entscheiden: Wir können ›Freunde‹ sein, oder ich kann ihre Einweisung von jemand anderem, jemandem, der Ihnen weit weniger wohlgesonnen gegenübersteht, beenden lassen. Sie haben die Wahl.«

Einweisung? Aus irgendeinem Grund gefiel Jazz die Art nicht, wie Khuv das Wort gebraucht hatte. Offenbar ein Versprecher. Einweisung war hier doch wohl nicht das richtige Wort, oder? *Warum erzählen sie dir das alles?* fragte eine leise Stimme in seinem Hinterkopf. *Was haben Sie davon?* Er wußte keine Antwort darauf und stellte die Frage zurück.

»Gut, ich akzeptiere das. Wir alle tun, was wir tun müssen. Wir haben alle unsere Befehle. Aber beantworten Sie mir noch eine Frage, und danach werde ich Sie dann nicht mehr unterbrechen.«

Khuv führte Jazz und Vyotsky in sein Wohnzimmer. »Na gut. Und die wäre?«

»Dieses Ding in dem Glaskasten, dieser Eindringling aus einer anderen Welt.« Jazz rümpfte angeekelt die Nase. »Sie sagen, das Ding hat einen Wärter? Jemand, der nach ihm sieht, es füttert und beaufsichtigt? Ich frage nur, weil ich mir niemanden vorstellen kann, der zu so etwas bereit ist. Der Mann muß Nerven aus Stahl haben.«

»Was?« Vyotsky stieß ein verächtliches Schnauben aus, das beinahe schon ein Lachen war. »Sie glauben doch nicht etwa, daß der sich freiwillig dazu gemeldet hat? Es ist ein Wissenschaftler, ein kleiner Mann mit dicken Brillengläsern. Ein Mann, der der Wissenschaft ergeben ist – und der Flasche.«

Jazz hob eine Augenbraue: »Ein Alkoholiker?«

Khuvs Gesichtsausdruck änderte sich nicht. »Wenn jetzt noch nicht, dann in Kürze«, sagte er nach kurzer Pause »Ja, ich befürchte, bald wird er das sein ...«

Drei Stunden später, gegen 19:30 Uhr – nachdem Jazz in seiner Zelle eine Tasse dünnen geschmacklosen Kaffee und ein belegtes Brot mit Aufschnitt bekommen hatte, seine übliche Abendmahlzeit, und nachdem beides verzehrt war – lag er auf seinem Rücken auf dem Armeebett mit Stahlrahmen und ging in Gedanken noch einmal die Informationen durch, die er von Khuv erhalten hatte. Der Russe hatte fast anderthalb Stunden lang ununterbrochen geredet, und der britische Agent hatte während der ganzen Zeit sein Wort gehalten und ihn nicht einmal unterbrochen. Nachdem Khuv einmal in Fahrt war, hatte Jazz ihn sowieso nicht mehr unterbrechen wollen, zum einen, weil der Strom von Worten und Bildern präzise und zusammenhängend war und keine weiteren Erklärungen erforderte, vor allem aber, weil die Geschichte unglaublich faszinierend war.

Und jetzt ließ Jazz noch einmal alles vor sich ablaufen: Der erste Perchorsk Zwischenfall, »Pi«, war der katastrophale Probelauf von Franz Ayvazs subatomarem Schutzschild gewesen. Die Aufräumarbeiten nach diesem Desaster waren fast beendet, als sich »Pi II« ereignete, das Khuv »Begegnung Nr. 1« nannte. Aber nach dem, was der KGB-Major erzählte, war das weniger eine Begegnung, als vielmehr ein katastrophaler Zusammenstoß gewesen.

Dieses – diese Kreatur? – die bei dem Vorfall durch die Lichtkugel gekommen war, war ... nun, es war das Monster, das Jazz auf dem Film des AWACS Flugzeugs über der Hudson Bay gesehen hatte, und von dem er jetzt wußte, daß es so etwas wie der große Bruder der Kreatur in dem Glaskasten war. Aber als dieser große Bruder seine kolossale Masse aus seiner eigenen in diese Welt hinein gequetscht hatte ...

Khuvs Beschreibung von Begegnung Nr. 1, wie er selbst es von

Augenzeugen gehört hatte, war drastisch gewesen: »Sie haben es gesehen, Michael, auf dem Film, von dem Sie uns erzählt haben. Sie wissen, wie es ausgesehen hat. Ja, aber das war erst, nachdem es durch den Schacht in die Schlucht entkommen und von da aus losgeflogen war. Auf dem Boden war es noch viel schlimmer, oh ja, ich weiß das von denen, die es gesehen und überlebt haben. Aber zuerst will ich versuchen, zu erklären, wie das Tor funktioniert. Besser gesagt, ich werde beschreiben, was passiert, wenn es funktioniert. Die »Haut« dieser Kugel – die Oberfläche, wie wir sie sehen – ist an sich schon im Widerspruch mit der Physik, so wie wir sie verstehen. Viktor Luchow hat sie als einen ›Ereignishorizont‹ bezeichnet: Wir sehen auf ihr Dinge später oder auch früher als ein Ereignis tatsächlich eintritt. Im ersten Fall als eine Art von Nachglühen, das sich in die Kugel eingebrannt hat, und im anderen Fall als ein graduelles Auftauchen, bis das – was es auch ist – schließlich durchbricht.

Sie haben dieses Ding wirklich kommen sehen – aber sie hatten keine Ahnung, was sie da sahen. Schließlich war es das erste. Sie sahen es in der Kugel: Zuerst verdunkelte sich langsam ein Gebiet oben an der Kuppel der Kugel. Aus dem dunklen Fleck wurde eine Form, aus der Form so etwas wie ein unscharfes dreidimensionales Bild, und das Bild dann – nach einiger Zeit – ein materielles Wesen. Sie sahen den Kopf und das Gesicht einer Fledermaus, und das war schon mehr als einen Meter groß. Und dieser Kopf veränderte sich langsam, ganz langsam, wie ein Hologramm. Es passierte alles in Zeitlupe, und es war spannend, dabei zuzusehen. Das dachten sie wenigstens. Das Runzeln der vorgewölbten Schnauze, das vielleicht eine halbe Minute dauerte, das Vorwärtsklappen der Ohren – ein Zucken in der Realzeit – dauerte vielleicht fünf Sekunden; das Blecken der nadelspitzen Zähne, von denen jeder fast fünfzehn Zentimeter lang war, lief mit der Geschwindigkeit eines Gähnens ab.

Und schließlich waren sie bewaffnet. Es war zufällig eine Hand voll Soldaten mit Waffen dort unten – nicht weil sie einen Angriff erwarteten, sondern einfach nur, weil Soldaten nun mal

Waffen tragen. Aber wer würde schon daran denken, auf so etwas zu schießen? Nach dem Vorkommnis vielleicht – aber damals? Wir schießen ja schließlich auch nicht auf die Bilder auf einer Leinwand. Und nichts anderes war das hier – ein 3D-Film.

Und Viktor Luchow war auch da unten. Glauben Sie, er hätte zugelassen, daß jemand auf dieses Ding schießt? Keine Chance! Er wußte ja noch nicht einmal, was diese Kugel war. Da Franz Ayvaz nicht mehr lebte, war er der Verantwortliche für den Perchorsk Zwischenfall, und jetzt erschien da aus dem Nichts dieses – Phänomen!

Das Bild war seit fast einer Stunde immer schärfer geworden. Die verschwommenen Kanten hatten sich stabilisiert, und das Bild war jetzt so deutlich wie ein Fernsehbild. Einige Leute waren losgelaufen, um Kameras zu holen und filmten das Ereignis, wie die Touristen vor einem antiken Bauwerk oder an wunderbaren Panoramablicken. Sie wußten schließlich, dieses Ding konnte nicht real sein. Das war doch unvorstellbar – eine Fledermaus mit einem Kopf von der Größe eines Elefantenschädels?

Und dann – ganz plötzlich, ohne Vorwarnung – passierte das Unmögliche. Sie beobachteten, wie sich die Schnauze durch die »Haut« der Kugel schob. Das Monster war plötzlich nicht mehr nur ein Bild auf einer Leinwand. Es schnüffelte, schnappte ein paarmal heftig nach Luft – und im nächsten Moment brach ein Alptraum über die Leute herein!

Der Ereignishorizont verlangsamt die Dinge, Michael. Aber wenn das Tor einmal durchschritten ist, läuft alles wieder in normaler Geschwindigkeit ab. Doch »normal« bei dieser Kreatur war das Grauen für die, die damit zu tun hatten. Ich habe gesagt, sie schnüffelte – eine gewaltige Fledermaus, die ihre Beute witterte – und sie witterte die Menschen! Und dann veränderte sie sich! Das Gesicht und der Kopf, die durch die Kugel kamen, gehörten zu einem gewaltigen Wolf. Sie haben gesehen, wie sich die Kreatur in dem Kasten verändert hat? So war es auch hier, genau so. Der Kopf des riesigen Wolfes durchstieß die Kugel, und dann die Schultern – aber das, was sie voranschob, war der ledrige

Körper einer Fledermaus, und große Fledermausflügel breiteten sich aus, die die ganze Kugel ausfüllten!

Panik? Es gab eine Panik, wie Menschen sie nur selten in ihrem Leben erfahren. Und was es noch schlimmer machte – das Ding kam nicht still in diese Welt, sondern es brüllte. Und diese Stimme war gewaltig!

Das Monster heulte den hellen Lichtern seine Wut entgegen, heulte seinen Hunger nach dem Blut heraus, das es gewittert hatte, gab seiner Angst vor der fremdartigen Umgebung Ausdruck. Und es wütete unter den Leuten. Aber währenddessen kam immer noch mehr durch die Kugel. Das Hinterteil des Dings ähnelte einem riesigen Tausendfüßler, stampfte durch das Tor und zertrat alles in seiner Nähe. Es verwandelte sich unablässig, wurde zu einem Dutzend verschiedener Mischgestalten in genauso vielen Augenblicken, und jedes von diesen Viechern war tödlich!

Es zerriß Kabel in seinem blinden Wüten – ja, blindes Wüten, denn es ertrug das Licht nicht. Und es war ein Glück, daß es nichts sehen konnte, denn wenn es nicht geblendet gewesen wäre, dann wäre das Gemetzel noch viel schlimmer gewesen. Als es jedoch die Energieversorgung beschädigte, gingen viele der Lichter aus. Und plötzlich konnte das Ding sehr gut sehen. Jetzt suchte es sich seine Opfer gezielter aus und verschlang sie im Ganzen, statt sie nur niederzumetzeln.

Doch jetzt begannen die Soldaten auch zu schießen – zumindest diejenigen, die den Mut dazu aufbrachten. Es war nicht erkennbar, ob das Monster von den Kugeln verletzt wurde, aber das konzentrierte Gewehrfeuer erschreckte es auf jeden Fall. Es zog sich in die dunkelste Ecke zurück, die es finden konnte – in den nur schwach beleuchteten Schacht. Da hatte es sich schon in so etwas wie das quallenartige Wesen verwandelt, das von der AWACS-Crew gefilmt worden war. Trotz seiner Größe – dieser unglaublichen Größe – quetschte und schob es sich durch die Magmasse-Ebenen. So wie der formbare Körper von einer Gestalt in die andere wechselte, hatte es sogar eine gewisse Ähnlichkeit mit der Magmasse, und als es sich voranquetschte, bildete es tastende Gliedmaßen mit Mündern und Augen und ... nein, es gibt einfach keine Worte für diese Arten von Extremitäten. Stellen sie sich ein Bein vor, das plötzlich aus der Seite wächst, und anschließend verwandelt sich das Bein in ein dahinkrabbelndes, spinnenartiges Tentakel, dann bekommen Sie vielleicht eine Vorstellung von dem, was ich beschreiben will.

Aber schließlich drang es bis in die Schlucht vor und ließ dabei eine Spur von Toten und Verwüstung hinter sich, bestehend aus den Schreien der Sterbenden und Verletzten, und den leeren Stellen, die diejenigen hinterlassen hatten, die für immer verschwunden waren. Zum zweiten Mal war das Perchorsk Institut eine Ruine, und irgendwo da draußen lief ein Monster frei herum; mordete und hinterließ eine Spur der Verwüstung. Und niemand hatte auch nur die geringste Ahnung, was dagegen zu tun sei.

Wenn wir Russen einen Fehler haben, Michael, dann ist es dieser: Wir sind zu diszipliniert in unserem Denken, und wir sind keine Fehlschläge gewohnt. Und wenn dann Dinge völlig aus dem Ruder laufen, stehen wir schreckensstarr und verständnislos davor wie kleine Kinder, die darauf warten, daß Mama ihnen sagt, was zu tun ist. So war es mit Chruschtschow, als Kennedy ihm Paroli bot, und so verhielten sich auch die – sagen wir einmal – »zuständigen Stellen« bei dieser unglückseligen Sache mit dem koreanischen Linienflugzeug. Und wenn es irgendwann andere Katastrophen gibt, dann wird es wieder genauso sein. Perchorsk bildete da keine Ausnahme.

Endlich informierte man das Militär, und die benachrichtigten dann Moskau. Können Sie sich vorstellen, was dann passiert ist? *Was? Etwas ist bei Perchorsk im Ural entkommen? Was für ein Ding? Wovon reden Sie überhaupt?* Aber schließlich wurden dann doch Migs von Kirovsk aus gestartet, und den Rest kennen Sie bereits. Ab diesem Punkt wissen Sie sogar mehr von der Sache als ich. Aber wenigstens weiß ich noch, warum die russischen Flieger versagt haben, während die amerikanischen Flugzeuge Erfolg hatten.

Soviel haben wir aus den anderen ... Begegnungen gelernt. Deswegen auch die Flammenwerfer.

Ja, richtig: Die amerikanischen Flugzeuge waren mit Firedevil Luftkampf Raketen ausgestattet, die sich noch in der Testphase befinden. Die Raketen explodieren nicht nur beim Aufprall, sondern erzeugen auch sofort ein Flammenmeer um sich herum. Die Munition ist nicht so schwer zu handhaben wie Napalm, aber um zehn Prozent effektiver. Damit ist das Ding über der Hudson Bay erledigt worden – mit Feuer! Mit Feuer und mit Licht – Sonnenlicht! Bevor die amerikanischen Flieger es einholten, war das Ding unter ziemlich dichten Wolken hergeflogen, und die Sonne war gerade erst aufgegangen. Aber als die Sonne höher stieg, senkte die Kreatur ihre Flughöhe. Sie suchte wohl nach Schutz vor dem Sonnenlicht. Das sind eiskalte Wesen, Michael, und sie entstammen der Dunkelheit.

Sie haben beschrieben, was Sie auf dem AWACS Film gesehen haben: Ein Brodem aus ekelhaften Gasen, der im hellen Sonnenlicht von der Oberfläche der Kreatur verdampfte, und die Art, wie dieser riesige, platte, in der Luft segelnde Organismus vor der Sonne zurückschreckte. Ja! Es ist nicht wirklich so, daß die Migs versagt haben, sondern daß andere, natürliche Hilfsmittel den Amerikanern zu ihrem Erfolg verholfen haben. Das Ding war schon halbwegs erledigt, als es auf die Amerikaner traf, und die Firedevils besorgten nur den Rest. Nun, das war das Ende von Begegnung Nr. 1.

Und jetzt ein Antiklimax: Begegnung Nr. 2 war ein Wolf!

Er kam auf die gleiche Art durch das Tor wie die erste Kreatur, aber im Vergleich dazu war er so klein – und so gewöhnlich – daß er beinahe nicht bemerkt worden wäre. Aber nur beinahe. Ein Soldat sah ihn als erster und verpaßte ihm in dem Augenblick eine Kugel, als er durch das Tor hinkte. Das hielt ihn auf, tötete ihn aber nicht. Er wurde untersucht – mit aller Vorsicht – und es stellte sich heraus ... daß es sich um einen Wolf handelte. Er war alt, räudig, fast blind und völlig ausgehungert. Sie hielten ihn am Leben, sperrten ihn in einen Käfig, fütterten und hegten ihn und unterzogen ihn jedem Test, der ihnen nur einfallen wollte. Sie waren sich nun einmal nicht sicher, ob sie dem Anschein trauen konnten, klar? Aber ... es war ein Wolf. Es war in jeder Beziehung ein Bruder der Spezies, die auch heute noch in den großen Wäldern hier in der Gegend jagt. Als das Tier vor neun Monaten an Altersschwäche gestorben ist, war es fast zahm.

Und da meinten unsere Wissenschaftler dann, daß die Welt auf der anderen Seite vielleicht doch gar nicht so anders sei als diese hier. Oder daß dieses Tor, das wir hier geöffnet haben, vielleicht zu vielen verschiedenen Welten führt. Viktor Luchow glaubt, daß als ein physikalisches Phänomen – oder als Phänomen der Physik – das Tor irgendwo zwischen einem schwarzen und einem weißen Loch liegt. Schwarze Löcher hängen mitten im All und verschlingen Welten, und nicht einmal das Licht kann ihren unglaublichen Gravitationskräften entkommen; weiße Löcher sind die theoretischen Schmelztiegel, aus denen Galaxien entstehen; beides sind Tore zu oder aus anderen Raumzeiten. Und genauso auch unsere Lichtkugel – nur bei weitem nicht so extrem. Deswegen nennt Luchow es ein ›graues Loch‹, einen Durchgang in beide Richtungen!«

An diesem Punkt hatte Khuv die Hand warnend erhoben. »Bitte nicht unterbrechen, Michael. Wir kommen gerade so gut voran. Sie können Ihre Fragen später stellen.« Als Jazz sich dann wieder zurückgelehnt hatte, fuhr er fort: »Was mich angeht – ich habe keinerlei Interesse an irgendwelchen Löchern oder an höherer Physik. Für mich ist das einfach nur eine tödliche Bedrohung! Aber abgesehen davon ...

Sie haben Begegnung Nr. 3 bereits gesehen und ich habe Ihnen davon erzählt. Die Nr. 4 – das war ein weiterer Antiklimax, wenn auch nicht ganz so gewöhnlich und akzeptabel wie der Wolf. Es war eine Fledermaus der Gattung *Chiroptera,* Spezies *Desmodus.* Seltsamerweise ist die Spezies *Vampyrum* gar kein Vampir, während *Desmodus* und *Diphylla* die wirklichen Blutsauger sind. Diese hier hatte eine Spannweite von siebzig Zentimetern und war damit zwar relativ groß für ihre Art, aber noch im normalen

Rahmen. Sie war natürlich schon lange vorher gesehen worden, und diesmal wurde keinerlei Risiko eingegangen. Sobald sie durch die Oberfläche kam, wurde sie erschossen. Aber genau wie der Wolf ein gewöhnlicher Wolf gewesen war, war auch das hier eine gewöhnliche Fledermaus. Seltsamerweise ist die Vampirfledermaus jedoch eine Kreatur, die in Süd- und Mittelamerika beheimatet ist. Vielleicht ist unser graues Loch nicht nur ein Durchgang zu anderen Welten, sondern auch zu anderen Regionen auf dieser Welt.

Egal, jedenfalls war ich damals schon hier und für den Rest der Erzählung bin ich Augenzeuge. Ach ja, ich kann Ihnen auch einen Film vom Auftauchen der Fledermaus zeigen, wenn Sie das möchten, obwohl Sie wohl auch nicht mehr dadurch erfahren würden, als ich Ihnen schon erzählt habe, denn es war genauso, wie ich es erzählt habe. Aber Begegnung Nr. 5 – das ist wieder etwas anderes.«

An dieser Stelle hatte Jazz bemerkt, wie Vyotsky unter dem dunklen Bart sehr blass wurde. Auch er war bei dieser fünften Begegnung dabei gewesen. »Machen Sie es kurz.« Der große KGBler stand auf, stürzte seinen Drink in einem Zug hinunter und begann, im Raum hin und her zu laufen. »Erzählen Sie ihm davon oder zeigen Sie ihm den Film, doch bringen Sie es hinter sich.«

»Karl hat die Sache nicht gefallen.« Khuvs Bemerkung war überflüssig, sein Lächeln dünn und hart. »Mir aber auch nicht. Aber ob es mir gefällt oder nicht, spielt keine Rolle. Das ändert nichts an den Tatsachen. Kommen Sie, ich zeige Ihnen den Film.«

In einem angrenzenden kleinen Raum hatte Khuv so etwas wie ein Arbeitszimmer eingerichtet. Da standen Bücherregale, ein winziger Tisch, Stahlrohrstühle, ein moderner Super-8-Filmprojektor und eine kleine Leinwand. Vyotsky machte keinen Versuch, Jazz und seinen kommandierenden Offizier zu begleiten, sondern goß sich noch einen Drink ein und blieb in Khuvs Wohnzimmer. Jazz wußte jedoch, daß der einzige Weg aus Khuvs

Quartier durch das Wohnzimmer führte und daß nur ein paar Schritte und eine dünne Holztür ihn von dem bulligen KGB-Schläger trennten.

Jetzt sah er auch, daß für seinen Besuch schon alles vorbereitet war: Khuv mußte nur noch das Licht herunterdimmen und den Projektor ansschalten. Und was Jazz auch erwartet haben mochte, es war bestimmt nicht das, was er jetzt zu sehen bekam.

Der Film war in Farbe, hatte eine Tonspur und wirkte sehr professionell. Ein dunkler, verschwommener, nicht fokussierter Schatten auf der einen Seite der Leinwand entpuppte sich als ein russischer Soldat, der eine glänzende Kalaschnikov an seiner Hüfte hielt. In der Mitte war die weiße Kugel zu sehen, oder das »Tor«, wie Jazz erfahren hatte, und auf ihrer blendenden Oberfläche – wobei die Unterkante des Bildes nur Zentimeter höher war als die Bretter des Steges, der die Spanne zwischen der Plattform des Saturnrings und der Kugel überbrückte – sah man das Bild ... eines Mannes!

Die Kamera hatte darauf gezoomt, und dadurch wurde die ganze Leinwand weiß und blendete nicht mehr so sehr. Das Bild das Mannes befand sich jetzt in der Mitte. Er schritt geradeaus und blickte direkt in die Kamera. Seine Bewegungen waren so schmerzhaft langsam, daß jeder Schritt mehrere Sekunden dauerte und Jazz sich fragte, ob er jemals ankommen werde. Aber Khuv hatte ihn gewarnt: »Sehen Sie, wie das Bild schärfer wird? Ein sicheres Zeichen dafür, daß er die Oberfläche gleich durchstoßen wird. Aber wenn ich Sie wäre, würde ich nicht darauf warten. Sehen Sie ihn sich jetzt genau an, solange Sie noch die Gelegenheit dazu haben.«

Und wie um das zu betonen, konzentrierte sich die Kamera auf das Gesicht des Mannes. Er hatte eine fliehende Stirn, und der Schädel war kahl rasiert bis auf eine einzelne Locke, wie ein dicker schwarzer Strick auf dem hellen, fast grauen Fleisch. Die Locke baumelte im Nacken des Mannes, zurückgekämmt wie eine Mähne und zu einem Knoten geflochten. Seine Augen waren klein, standen dicht beieinander und waren sehr auffällig. Sie starrten unter dichten schwarzen Augenbrauen hervor, die zu einem Gewirr über einer platten oder stark abgeflachten Nase zusammenwuchsen. Die Ohren waren leicht zugespitzt und hatten große Ohrläppchen, die dicht am Schädel anlagen, direkt über hohlen, fast ausgemergelten Wangen. Die Lippen waren rot und fleischig und bildeten einen Mund, der leicht nach links herabhing, als grinse der Mann beständig spöttisch.

Der Mann hatte ein spitzes Kinn, wobei dieser Eindruck durch einen kleinen schwarzen Bart noch verstärkt wurde, der mit Pomade zusammengedreht war. Aber das Dominierende an diesem Gesicht waren die beiden kleinen, starren Augen. Jazz sah sie sich noch einmal an: Sie lagen blutrot in tiefen schwarzen Höhlen.

Als errate die Kamera Jazzs Bedürfnisse, war sie zurückgefahren, um wieder den ganzen Mann zu zeigen. Er trug einen kurzen Lendenschurz, hatte Sandalen an den Füßen und einen großen Ring aus gelblichem Metall in seinem rechten Ohr. Seine rechte Hand stak in einem Handschuh, der mit Stacheln, Stahlklingen und Haken gespickt war – eine unglaublich brutale, mörderische Waffe!

Danach hatte Jazz gerade noch Zeit zu bemerken, wie schlank der Mann war, wie elegant seine fein ziselierten Muskeln spielten und daß sein Gang dem Traben eines Wolfes glich, bevor er aus der Kugel auf den Steg hinaustrat – und dann ging alles blitzschnell!

Der britische Agent löste sich aus seinen Erinnerungen und kam in die Gegenwart zurück, umklammerte den Rahmen seines Bettes und schreckte in eine sitzende Position hoch. Er schwang seine Füße auf den Boden und preßte den Rücken gegen die Metallwand. Die Wand war kühl, aber nicht kalt; durch sie hindurch konnte Jazz das Leben in dem unterirdischen Komplex fühlen, das nervöse, unregelmäßige Pulsieren seines erschreckten Blutes. Es war, als sei man auf einem großen Schiff unter Deck, wo das Pochen der Motoren direkt durch die Wände und Decks und Schotts dringt. Und so, wie er das Leben auf einem Schiff wahrnehmen würde, so spürte er auch die Angst an diesem Ort.

Es waren Männer da unten in dieser bizarren Höhle im Herzen des Berges, Männer mit Gewehren. Einige von ihnen hatte es selbst gesehen, andere hatte man auf Filmen wie dem, den Jazz gesehen hatte, gezeigt, was durch das Tor kommen konnte, das sie bewachten. Da war es nicht verwunderlich, daß im Perchorsk Institut die blanke Angst herrschte.

Ihn schauderte leicht, dann stieß er ein grimmiges Lachen hervor. Das Fieber des Institutes, das sich durch dieses Zittern selbst im Warmen bemerkbar machte, hatte ihn angesteckt. Er hatte dieses Frösteln an allen hier bemerkt, und jetzt hatte er es auch.

Jazz schüttelte sich in Gedanken und zwang sich dazu, zu dem Film zurückzukehren, den Khuv ihm gezeigt hatte ...

FÜNFTES KAPITEL

Der Mann kam direkt aus der Kugel auf den Steg – und dann ging alles blitzschnell!

Er beschirmte seine roten Augen vor dem plötzlichen Licht, schrie einen verblüfften Widerspruch in einer Sprache heraus, die Jazz beinahe verstand oder zu verstehen meinte, und duckte sich vor etwaigen Angriffen. Der Film war plötzlich zum Leben erwacht. Vorher hatten die Geräusche alle gedämpft geklungen; manchmal ein leises Husten, nervöse Unterhaltungen, Fußrascheln im Hintergrund, und dann und wann die Bolzen von Waffen, die gespannt oder überprüft wurden, und das unverkennbare Geräusch von Magazinen, die einrasteten. Aber all das wirkte dumpf und ein wenig isoliert von der wirklichen Handlung, so wie die ersten paar Minuten in einem Kinofilm, wo die Ohren immer noch an die Geräusche der Straße gewöhnt sind und sich noch nicht an das neue Medium mit seiner neuen Geräuschkulisse angepaßt haben.

Aber jetzt war die Tonspur sehr wohl an den Film gekoppelt. Da war Khuvs Stimme, die schrie: »Fangt ihn lebend! Nicht erschießen! Der erste, der abdrückt, kommt vor ein Kriegsgericht! Das ist doch nur ein Mann, seht ihr das nicht? Geht da rein und nehmt ihn gefangen!«

Gestalten in Kampfanzügen liefen vor der Kamera vorbei und brachten den Kameramann und damit die Kamera ins Schwanken, bevor sie vor der Linse ins Bild kamen und das Bild fast verdeckten.

Da sie den Befehl hatten, nicht zu schießen, hielten sie ihre Waffen unschlüssig in Händen. Offenbar wußten sie nicht, was sie damit tun sollten. Jazz konnte sie verstehen: Man hatte ihnen gesagt, daß ein schrecklicher Tod in dieser Kugel lauere, aber das hier war doch nur ein Mann. Wie viele von ihnen waren schon nötig, um einen Mann zu überwältigen? Mit diesem Assortiment an Waffen direkt vor ihrer Nase mußten sie sich vorkommen wie Männer, die Mücken mit Fliegenklatschen erschlugen. Aber andererseits waren bereits ein paar sehr seltsame Sachen aus dieser Kugel gekommen, und auch das wußten sie sehr gut.

Der Mann aus der Kugel sah sie kommen und richtete sich auf. Seine roten Augen hatten sich jetzt zumindest zum Teil an das Licht gewöhnt. Er stand da und wartete auf die Soldaten. Jazz dachte: *Dieser Kerl ist fast zwei Meter groß. Ich wette, der braucht kein Kindermädchen, um auf ihn aufzupassen.*

Er hätte verdammt noch mal seine Wette gewonnen.

Der Holzsteg war vielleicht drei Meter breit. Die ersten beiden Soldaten näherten sich dem halbnackten Mann aus der Kugel von links und von rechts, und das war ein Fehler. Sie riefen ihm entgegen, die Hände hochzunehmen und nach vorn zu kommen, und als der erste von beiden an ihn herankam, versuchte er ihn mit dem Lauf seiner Kalaschnikov anzustupsen. Mit erstaunlicher Geschwindigkeit reagierte der Eindringling: Mit der linken Hand schlug er den Gewehrlauf zur Seite und hieb die Handschuh-Waffe, die er an der Rechten trug, mit Wucht gegen den Kopf des Soldaten.

Die linke Schädelseite des Mannes wurde eingedrückt, und die Haken an dem Handschuh blieben zwischen den zerschmetterten Schädelknochen hängen. Der Eindringling hielt den Mann einen Augenblick lang aufrecht, der unkontrolliert wie ein aufgespießter Fisch zappelte. Aber das war nur noch Reflex, denn der Schlag mußte ihn sofort getötet haben. Dann fauchte der Mann aus dem Tor und riß seine Hand zurück, wodurch sich der Handschuh aus dem Schädel löste. Gleichzeitig stieß er den Mann mit der anderen Hand vom Steg herunter. Die Leiche des Soldaten stürzte außer Sicht.

Der zweite Soldat blieb stehen und blickte sich fragend um. Sein Gesicht war aschfahl, während die Kamera seine Unentschlossenheit dokumentierte. Seine Kameraden waren unmittelbar hinter ihm, wütend, darauf erpicht, diesen unbekannten Krieger zu Fall zu bringen. Ihre Zahl verlieh ihm neuen Mut, er wandte sich wieder dem Krieger zu und schwang seine Waffe mit dem Kolben zuerst gegen dessen Gesicht. Der Mann grinste wölfisch, duckte sich leichtfüßig unter dem Schlag weg und benutzte zur gleichen Zeit seinen Handschuh für einen tödlichen Hieb. Er fetzte dem Soldaten mit einem roten Schwall die Kehle heraus und ließ ihn zur Seite stürzen. Der Mann fiel zu Boden, rappelte sich wieder auf die Knie – und der Eindringling hieb ihm die Waffe direkt auf den Kopf, zerschmetterte die Pelzmütze, den Schädel und alles andere.

Dann war der Rest der Gestalten im Kampfanzug über dem Krieger, schlug mit den Gewehren nach ihm und trat mit gestiefelten Füßen zu. Der Mann aus dem Tor rutschte aus und ging unter ihrer Masse zu Boden, wobei er vor Wut und Hass aufheulte. Das Geschrei der Soldaten war ohrenbetäubend, aber über allem konnte Jazz Khuvs Stimme ausmachen: »Haltet ihn am Boden, aber tötet ihn nicht! Ich will ihn lebend – lebend, verstanden?«

Dann war Khuv selbst ins Blickfeld der Kamera gekommen, wie er über den Steg rannte und wild mit den Armen wedelte. »Haltet ihn unten, aber zerschlagt ihn nicht zu Brei! Wir brauchen ihn ... in einem Stück!« Die letzten drei Worte waren ein Ausdruck von Khuvs Erstaunen, seinem Unglauben. Und als er den Film sah, konnte Jazz nachvollziehen, was den Wechsel in Khuvs Stimme bewirkt hatte, und er hatte beinahe sogar Mitleid mir ihm.

Denn der fremde Krieger war wirklich ausgerutscht – wahrscheinlich im Blut – und das war der einzige Grund, warum er zu Boden gegangen war. Die fünf oder sechs Soldaten, die sich auf ihn gestürzt hatten, waren keine Gegner für ihn. Sie behinderten sich gegenseitig mit ihren Waffen und versuchten verzweifelt, nicht in die Reichweite dieser fürchterlichen Häckselmaschine zu geraten, die er an seiner rechten Hand trug. Einer nach dem anderen zuckten sie zurück und fielen von ihm ab, wobei sie ihre zerrissenen Kehlen oder zerfetzten Gesichter umklammerten. Zwei von ihnen stürzten über den Rand des Steges und fielen mehr als 20 Meter tief auf den schüsselförmigen Boden der Magmasse. Ein anderer, der mit zerfetzten Beinen davonkriechen wollte, wurde fast verächtlich von dem Krieger in den leeren Raum gekickt. Schließlich stand der Krieger blutbesudelt aber ungebändigt – und allein – auf den rot-verschmierten Brettern des Steges. Und dann hatte er Khuv gesehen, und nichts trennte sie mehr außer vier oder fünf Schritte über die Holzbohlen.

»Flammenwerfergruppe!« Khuvs Stimme war heiser, fast ein Flüstern in der plötzlichen, ehrfürchtigen Stille. »Zu mir – Tempo!« Er hatte sich nicht umgesehen, wagte es nicht, für einen Moment lang die Augen von diesem bedrohlichen Mann aus der Kugel zu nehmen.

Aber der Krieger hatte seinen Befehl gehört. Er legte den Kopf auf die Seite und verengte seine roten Augen. Vielleicht faßte er die Worte des KGB Majors als eine Herausforderung auf. Er antwortete: Ein kurzer, harsch herausgebellter Satz – wahrscheinlich eine Frage – in einer Sprache, bei der Jazz wieder den Eindruck hatte, er sollte sie eigentlich verstehen, eine Frage, die in dem Wort »Wamphyri?« endete. Er trat zwei Schritte vor und wiederholte die rätselhaften, vage vertrauten Worte des Satzes. Und diesmal wurde das Wort »Wamphyri?« mit stärkerer Betonung gesprochen, drohend und mit einer Art stolzen Triumphs.

Khuv sank auf ein Knie herab und brachte eine bösartig aussehende Automatik mit einem langen Lauf in Anschlag. Er hielt damit einhändig und wacklig den Krieger in Schach, während er drängend mit der freien Hand den Männern hinter sich bedeutete, vorzurücken. »Flammenwerfergruppe!« Er krächzte. Der Speichel war ihm in der Kehle eingetrocknet, so wie auch in Jazzs Kehle, als er den Film soweit gesehen hatte.

Und dann hatte sich der Krieger wieder vorwärts in Bewegung gesetzt, aber diesmal sah es nicht so aus, als wolle er anhalten, und sein Blick und die Art, wie er den Handschuh hielt, ließen keinen Zweifel an seinen Absichten. Das Geklapper von Stiefeltritten erklang, und dunkle Schatten verdeckten die eine Seite der Leinwand, als Männer nach vorn stürzten, aber Khuv wartete nicht auf sie. Sein eigenes Schießverbot war jetzt vergessen, von der Situation überholt. Er hielt seine Automatik in beiden Händen und feuerte mit zitternden Fingern zwei Schüsse direkt auf die drohende Todesmaschine ab.

Sein erster Schuß traf den Krieger in der rechten Schulter, unter dem Schulterbein. Ein dunkler Fleck blühte da auf, wie eine scheußliche Blume, als er zurückgeworfen wurde und auf die Planken stürzte. Die zweite Kugel verfehlte ihr Ziel offenbar völlig. Er setzte sich auf, berührte das Loch in seiner herabhängenden Schulter und starrte mit unverkennbarem Erstaunen auf das Blut an seiner Hand. Aber die Schmerzen waren offenbar noch nicht zu ihm durchgedrungen. Noch nicht. Aber als sie es dann taten, eine Sekunde später ...

Das Heulen des Kriegers war kein menschlicher Schrei. Es war etwas viel Primitiveres als das. Es kam aus nachtdunklen Höhlen aus einer fremden Welt, die nicht unseren Gesetzen von Raum und Zeit gehorchte. Und es war schrecklich und furchterregend genug, um zu diesem Mann zu passen.

Er hätte sich auf Khuv gestürzt, er duckte sich sogar und machte Anstalten, das zu tun, aber die dreiköpfige Flammenwerfercrew kam ihm in die Quere. Die Maschine, mit der sie arbeiteten, war nicht die Ein-Mann-Einheit, die man auf dem Rücken tragen kann. Es war ein schweres Ding, das aus einem Benzintank auf einem kleinen Motorwagen bestand, den ein Mann lenkte, während ein anderer mit der Werfereinheit selbst daneben herging. Das dritte Mitglied der Einheit trug einen großen elastischen Asbestschild, einen schwachen Schutz vor Flammenrückschlag.

Es gelang dem Mann aus der Kugel trotz seiner Verwundung, mit seiner Handschuhwaffe den Schild zu durchschlagen, und er hätte ihn dem Schildträger beinahe aus den Händen gerissen. Bevor er den Handschuh zurückziehen konnte, der sich offenbar verhakt hatte, schrie Khuv: »Zeigt ihm das Feuer! Aber demonstriert es ihm nur – verbrennt ihn nicht!«

Vielleicht waren sie ein wenig übereifrig: Ein Feuerstrahl schoß dem vor Wut und Angst heulenden Krieger entgegen und versengte ihm die eine Körperhälfte. Als der Feuerstrahl versiegte, bleckten die Flammen immer noch an dem Mann hoch. Sie verbrannten seinen Bart, seine Augenbrauen und ließen den schwarzen Zopf schwelen.

Auf seiner Haut bildeten sich Brandblasen. Er schrie vor Schmerz und versuchte, die Flammen mit der linken Hand auszuschlagen. Dann riß er dem Soldaten den Asbestschild aus den Händen und warf ihn der Gruppe entgegen. Bevor sie sich davon erholen konnten, hatte er sich umgedreht und stolperte, immer noch qualmend, zu der strahlend weißen Kugel zurück.

»Haltet ihn auf!« schrie Khuv. »Schießt auf ihn, aber nur in die Beine! Er darf nicht zurück!« Er eröffnete das Feuer und der Mann zuckte und stolperte, als Kugeln in seine nackten Schenkel und Beine einschlugen. Er hatte sein Ziel fast erreicht, als ein Zufallstreffer ihn direkt hinter dem rechten Knie erwischte und zu Boden warf. Er war jedoch nahe genug an der Kugel, um sich in sie hineinzustürzen. Aber –

– die Kugel schleuderte ihn zurück! Es war, als habe er versucht, in eine Betonmauer hineinzuspringen.

Und in diesem Augenblick, während er den Film sah, wußte Jazz – wie auch die anderen, die dabeigewesen waren und diejenigen, die seitdem den Film gesehen hatten – daß das Tor eine Falle war. Wie eine fleischfressende Pflanze ließ es seine Opfer in sich eindringen, und dann versperrte es ihnen den Ausgang. Sobald sie durch das Tor gekommen waren, saßen die Kreaturen von der anderen Seite hier fest. Und Jazz fragte sich, ob das gleiche für jemanden gelten werde, der von dieser Seite hindurchginge? Aber das würde man natürlich nie herausfinden, oder ...?

»Jetzt muß er aufgeben!« Khuv jubilierte. Als die Schüsse verstummten, rannte er auf den Holzsteg hinaus zu der Flammenwerfergruppe, blieb hinter ihnen stehen und beobachtete die mitleiderregenden Leiden des Mannes aus der anderen Welt. In diesem Augenblick hatte der fremde Besucher Jazz leid getan, aber das hielt nicht lange an.

Der Mann setzte sich auf, schüttelte sich, um seine Benommenheit zu überwinden, und streckte die Hand nach der leuchtenden

Kugel aus. Seine Hand traf auf Widerstand, ließ sich nicht weiter hineinschieben. Er rappelte sich auf die Knie und drehte sich zu seinen Peinigern um. Seine karmesinroten Augen öffneten sich weit und strahlten ihnen seinen Haß entgegen. Er fauchte sie an und spie seine Verachtung auf den Steg. Selbst mit den großen gelben Brandwunden, die aufplatzten und gelbliche Flüssigkeit an seiner Seite herablaufen ließen, trotz seiner Verkrüppelung und – Hilflosigkeit? – gab er nicht auf.

Khuv trat vor und deutete auf den Handschuh an der rechten Hand der Kämpfers. »Abnehmen!« Seine Gesten waren deutlich. »Abnehmen – sofort!«

Der Mann blickte auf seinen Handschuh und rappelte sich unglaublicherweise wieder auf die Füße.

Khuv wich zurück und hob seine Waffe. »Nimm das verdammte Ding ab!« verlangte er.

Aber der Mann aus der Kugel lächelte nur. Er blickte auf Khuvs Waffe, dann auf den Flammenwerfer, dessen Mündung direkt auf ihn zeigte, und lächelte verbissen. Es war ein seltsamer Ausdruck, in dem Triumph, tragische Ironie und sogar eine gewisse Traurigkeit und Melancholie miteinander verschmolzen. Aber keinerlei Anzeichen von Furcht. »Wamphyri!« Der Mann klopfte sich auf die Brust und hob stolz den Kopf. Und dann ... legte er den Kopf in den Nacken und heulte das Wort buchstäblich hinaus: »Wamphyri!«

Als die Echos des Schreis verhallten, reckte er den Kopf nach vorn und starrte erneut die Männer auf dem Holzsteg an. In seinen Augen war ein Blick der besagte: »Tut, was ihr wollt! Ich bin bereit! Ihr seid nichts! Ihr wißt nichts!«

»Der Handschuh!« rief Khuv ihn wieder an und deutete auf die Waffe. Er feuerte einen Schuß in die Luft, um seinen Worten Nachdruck zu verleihen, dann richtete er die Waffe auf das Herz des Kriegers. Aber im nächsten Moment sog er scharf und hörbar die Luft ein und stieß sie dann keuchend wieder aus.

Wie er so dastand auf dem Holzsteg und leicht von einer Seite zur anderen schwankte, hatte der Mann aus der Kugel seinen

Mund geöffnet, weiter, als es einem Menschen möglich wäre. Eine gespaltene rote Zunge peitschte in dieser Mundhöhle. Und die Kiefer klappten noch weiter auseinander, die Knochen dehnten sich sichtlich und gaben ein Geräusch von sich wie das von zerreißendem Leintuch. Und weil alles in Totenstille verfallen war und der Rest des Tableaus wie eingefroren wirkte, waren der Anblick und die Geräusche dieser Metamorphose umso eindringlicher.

Jazz hatte seinen Atem angehalten, während er dem zusah, und jetzt in seiner Zelle tat er wieder das Gleiche bei der Erinnerung an das, was er gesehen hatte:

Die fleischigen Lippen des Kriegers hatten sich zurückgerollt und gespannt, bis sie aufplatzten und das Blut aus ihnen spritzte. Sie gaben den Blick auf rotes Zahnfleich und spitze, tropfende Zähne frei. Der ganze Mund hatte sich in etwas verwandelt, das nur noch mit dem weit aufgerissenen Maul eines tollwütigen Wolfes vergleichbar war – aber der Rest des Gesichtes hatte sich genauso, wenn nicht noch schlimmer, verwandelt! Die gedrungene, platte Nase war breiter geworden und hatte runzlige Vorsprünge entwickelt wie die Schnauze einer Fledermaus, deren ovale Nasenlöcher tiefschwarze Höhlen in dunklem, zerfurchtem Leder bildeten. An den Ohren, die zuvor eng an den Kopf angelegt gewesen waren, wuchsen Büschel von struppigem Haar, und sie wuchsen nach oben und nach außen und bildeten dabei von roten Adern durchzogene und nervös zuckende Formen wie Muschelschalen aus Fleisch. Auch dies erinnerte an eine Fledermaus. Oder vielleicht an einen Dämon.

Denn gewiß war dies eine Ausgeburt der Hölle. Die Hölle hatte sich in die alptraumhaften Konturen dieses Gesichtes eingegraben: ein Gesicht, das zum Teil zu einer Fledermaus, zum Teil zu einem Wolf gehörte und im Ganzen reiner Horror war! Und noch war die Verwandlung nicht vollständig.

Die Augen, zuvor klein und tief eingesunken, waren jetzt angeschwollen wie vollgesogene Blutegel und quollen blutrot aus ihren Höhlen. Und die Zähne ... die Zähne gaben dem Wort Alptraum eine neue Bedeutung. Denn während sie wuchsen und sich aus den zerfetzten Gaumen emporwölbten, hatten diese knöchernen Dolche den Mund so zerrissen, daß er sich mit einem See von Blut füllte. Und die Zähne bohrten sich durch das Blut wie die ehrfurchtgebietenden Fänge eines urzeitlichen Raubtieres.

Was den Rest des Körpers anging, der war gnädigerweise entfernt menschlich geblieben, aber während dieser Verwandlung hatten der verstümmelte Torso und die Beine den stumpfen Schimmer von Blei angenommen, und jeder Zentimeter des Körpers wurde von einem gewaltigen Zittern befallen. Aber schließlich –

– schließlich war es vorbei. Und im vollen Bewußtsein dessen, was er da tat, streckte der Mann – oder das Ding – aus der Kugel die Arme aus und trat einen langen, stolpernden Schritt nach vorn. Und bei diesem letzten schlurfenden Schritt auf Khuv zu gurgelte die Kreatur noch einmal: »Wamphyri!«

Khuv hatte geglaubt, es mit einem Menschen zu tun zu haben, und er hatte kaum Zeit, sich von dem Schock dieser Fehleinschätzung zu erholen. Seine Nerven, seine Beine, seine Stimme, all das gehorchte ihm kaum noch. Und ein Totalausfall wäre tödlich gewesen. Aber im letzten Moment gelang es ihm, sich aus der Reichweite des Monsters zurückzuziehen und zu krächzen: »Verbrennt ihn – es! Gott, schickt diesen verfluchten Hurensohn zur Hölle!«

Das war alles, worauf der Mann mit dem Schlauch gewartet hatte. Mehr brauchte man ihm nicht zu sagen, und alles, was notwendig war, war ein Druck des Zeigefingers auf den Auslöser. Ein gelber Flammenstrahl mit einem brennend heißen Hitzekern schoß aus der Düse, breitete sich aus und verschlang das Monster aus dem Tor. Sekundenlang spritzte die Flammenwerfertruppe das Ding mit chemischem Feuer ab, und es stand einfach nur da. Dann fiel die Gestalt in der Mitte des Feuers in sich zusammen, schien zu schmelzen und blieb in einer sitzenden Position liegen.

»Halt!« Khuv hielt sich ein Taschentuch vor das Gesicht. Der brausende Feuerstrahl hielt noch ein oder zwei Sekunden an und verstummte dann, als der Nachschub an der Düse unterbrochen wurde. Aber der fremde Krieger brannte weiter. Flammen züngelten über ihn hinweg und loderten zwei Meter oder mehr über dem ovalen schwarzen Kern, der sein schmelzender Kopf gewesen war, und der jetzt zu schwarzem, stinkendem Qualm verschmorte. Jazz hatte es natürlich nicht gerochen, aber er konnte sich den Gestank vorstellen.

Langsam verebbten die Flammen, es zischte und knackte und die zusammengesunkene Gestalt schrumpfte, als die Flüssigkeiten in ihrem Innern kochten und verdampften. Etwas, das ein langer, dünner Arm gewesen sein mochte, erhob sich aus den teerigen Überbleibseln des Feuers, reckte sich wie eine verkrüppelte Kobra an dem Qualm hoch und begann heftig zu zucken, eine Bewegung, die aufhörte, als das Teil zurückfiel in den verkohlten Klumpen auf dem brennenden Steg.

»Noch ein Feuerstoß«, befahl Khuv, und die Truppe kam dem nur zu gern nach. Nach kurzer Zeit war alles vorbei ...

Und dann war der Film zu Ende gewesen und auf der Leinwand flackerte nur noch weißes Licht, aber Jazz und Khuv blieben sitzen, während sich die Bilder in ihr Hirn brannten. Erst nachdem der letzte Streifen des Films durch die Maschine gelaufen war und auf seiner Rolle klapperte, hatte Khuv sich bewegt, den Projektor aus- und das Licht eingeschaltet.

Danach ... war ein weiterer Drink angebracht. Selten in seinem Leben hatte Jazz den Alkohol nötiger gebraucht ...

Während Michael J. Simmons auf seiner Koje saß und über die Dinge nachdachte, die er gehört und gesehen hatte, verlangsamte sich der Pulsschlag des Komplexes allmählich und bekam so etwas wie eine sanfte Regelmäßigkeit. Draußen war es Nacht, und auch hier im Innern war es Zeit, schlafen zu gehen. Doch nicht alle Mitarbeiter des Institutes und der angrenzenden Abteilungen schliefen. Da waren zum Beispiel diejenigen, die das Tor bewachten, und die hellwach waren. Und was die eine Kreatur im Komplex anging, die weder menschlich war noch aus der menschlichen Welt stammte: Die schien überhaupt keinen Schlaf zu brauchen.

Das dachte wenigstens Vasily Agursky, der mit dem Kinn auf die Handflächen gestützt vor dem Glaskäfig saß und Begegnung Nr. 3 anstarrte. Agursky war ein kleiner Mann, keine 1,60 groß, schlank, mit hängenden Schulter und einem Kopf, dessen Schädel langsam glänzend durch den unregelmäßigen Heiligenschein von grauem Kraushaar hindurch sichtbar wurde. Die Augen hinter den dicken Brillengläsern waren hellbraun in einem bleichen Gesicht; sie hatten tiefe Ränder und waren unter den schmalen aber deutlich ausgeprägten Augenbrauen immer in hektischer Bewegung. Mit seinen dünnen Lippen und den großen Ohren wirkte er wie ein Gnom, woran aber erstaunlicherweise überhaupt nichts Komisches war.

Die roten Lichter in der Behausung der Kreatur waren heruntergedreht, damit es sich nicht verängstigt in dem Sand seines Kastens verbuddelte. Es kannte Agursky und wurde in seiner Gegenwart selten hektisch. Wenn er mit gespreizten dünnen Beinen verkehrt herum auf einem Stahlstuhl saß und – die Arme über der Lehne verschränkt – das Ding beobachtete, lag es auf dem Boden seines Kastens und beobachtete ihn. Zur Zeit war es ein wurmartiges Wesen mit dem Gesicht einer Ratte. Ein Tentakel, der an einer Stelle hinten links an seinem Körper herauswuchs, bewegte sich langsam auf spinnenartigen Beinen voran, untersuchte Kiesel und Klumpen von verkrustetem Sand und legte sie dann jedesmal wieder zurück. Das einzelne rudimentäre Auge des Tentakels war wachsam und blinzelte nicht.

Das Wesen hatte Hunger, und Agursky, der trotz der halben Flasche Wodka, die er konsumiert hatte, nicht schlafen konnte, war heruntergekommen, um es zu füttern. Es war erstaunlich – wie so viele andere Sachen auch –, aber in letzter Zeit hatte er den Eindruck, daß die Launen des Wesens auf ihn selbst übertragen wurden. Wenn es unruhig war, war er das auch. Genauso war es, wenn es Hunger hatte. Heute nacht hatte er Hunger, trotz der Tatsache, daß er den Tag über gut gegessen hatte. Und deswegen wußte er, daß es hungrig sein mußte. Es war nicht darauf angewiesen, zu essen, jedenfalls nicht, soweit er das festzustellen in der Lage gewesen war, aber es tat es gern. Abfall aus der Küche, das Blut geschlachteter Tiere, die verklebten Felle und Hufe, Augen und Hirn und Eingeweide, Dinge, die die Menschen nicht essen wollten – all das waren Leckerbissen für die Kreatur. Zerkleinert wurden sie durch den Fütterungsschlauch gepumpt, und das Ding in dem Kasten schlang das Gemisch gierig herunter.

»Was zum Teufel bist du?« fragte Agursky die Kreatur bestimmt schon zum tausendsten Mal, seit er zu ihrem Wärter bestimmt worden war. Es war gelinde gesagt frustrierend, denn wenn jemand die Antwort darauf wissen sollte, so war es Agursky. Zoologie und Psychologie waren seine Spezialgebiete; man hatte ihn speziell angefordert, damit er das Ding untersuchen und herausfinden konnte, wie es funktionierte. Nachdem er ungefähr einen Monat mit dem Wesen gearbeitet hatte, waren andere Wissenschafler, die angeblich besser qualifiziert waren, eingeflogen worden. Offenbar hatten Agurskys Leistungen nicht den erwarteten Erfolg gezeigt. Aber die Neuen sahen sich die Kreatur an, lasen seine Notizen, schüttelten den Kopf und gingen irritiert wieder. Und er war allein mit der Kreatur zurückgeblieben. Was sollte er damit anfangen? Er kannte das Wesen so gut, wie irgendein Mensch es nur kennen konnte, und trotzdem wußte er nichts darüber.

Sein Blut glich dem der Myriaden von irdischen Tieren, war aber andersartig genug, um wirklich fremdartig zu sein. In Bezug auf Intelligenz hatte es nicht viel vorzuweisen – nicht im Vergleich zu Menschen, Delphinen, Affen oder Hunden – und dennoch besaß es so etwas wie eine grundlegende Intelligenz. Seine Augen zum Beispiel hatten fast hypnotische Fähigkeiten. Immer wieder mußte Agursky es aufgeben, der Kreatur seinen Blick aufzuzwingen, andernfalls würden ihn die rasch herausgebildeten Augen in Schlaf versetzen. Das Wesen hatte ihn schon ein paar Mal einschlafen lassen. Und Alpträume hatten ihn dann jedesmal wieder panisch aufschrecken lassen.

Man konnte es erziehen, aber es leistete dagegen Widerstand. Es wußte zum Beispiel: Wenn der Wärter ihm eine weiße Karte zeigte, bekam es Futter. Und eine schwarze Karte bedeutete, daß es kurz darauf einen elektrischen Schlag erhalten werde. Es hatte schmerzhaft gelernt, daß eine schwarze und eine weiße Karte zusammen bedeuteten: »Geh nicht an das Futter, bis die schwarze Karte weggenommen wird.« Aber wenn ihm diese Karten zusammen gezeigt wurden, bekam es regelmäßig heftige Wutanfälle. Wenn Futter in der Nähe war, wurde es fuchsteufelswild, falls es ihm vorenthalten wurde, oder falls daran Bedingungen geknüpft waren. Das waren ein paar der Dinge, die Agursky über die Kreatur herausgefunden hatte, aber er hatte das ungute Gefühl, daß das Wesen bei seiner Beobachtung viel mehr über ihn selbst herausgefunden hatte als umgekehrt. Und etwas anderes hatte er noch über das Wesen gelernt: Es besaß die Fähigkeit zu hassen. Und er wußte, wem dieser Haß galt.

»Fütterungszeit«, sagte er. »Ich werde dir jetzt etwas von diesem ekligen, fauligen, ranzigen Abfall in den Käfig pumpen. Und du wirst es aufschlürfen wie Muttermilch und Nektar und Ambrosia, du – du perverses Ding!« Zweifellos wären der Kreatur eine lebende weiße Ratte oder auch zwei weit lieber, aber der Anblick – eigentlich auch schon der Gedanke daran – hatte Agursky schon zu viele Alpträume bereitet. Denn das war auch etwas, was er über das Ding in dem Kasten erfahren hatte: Auch wenn es sich gierig über totes, geronnenes Blut hermachte, so zog es doch frisches Blut direkt aus einer zerfetzten, pulsierenden Ader bei weitem vor. Das Wesen war ein Vampir.

Als Agursky aufstand und die Futterapparatur vorbereitete, erinnerte er sich an das erste Mal, als er versuchsweise das Ding mit einer lebenden Ratte gefüttert hatte. Dazu mußte er zuerst die Kreatur in dem Kasten betäuben und sie in Tiefschlaf versetzen. Ein wenig Blut mit einer starken Dosis eines Narkotikums hatte das bewirkt. Danach hatte das Ding sich benommen in den Sand am Boden des Kastens zurückgezogen, um zu schlafen. Der schwere Deckel wurde entriegelt und hochgehoben und die sich windende Ratte hineingesperrt. Drei Stunden später – eine bemerkenswert kurze Zeit für eine solche Dosis des Betäubungsmittels – hatte das Ding sein Bewußtsein wiedererlangt und war an die Oberfläche gekommen, um zu sehen, was geschehen war.

Die Ratte hatte nicht den Hauch einer Chance gehabt. Sicher, sie hatte gekämpft, wie nur eine in die Ecke getriebene Ratte kämpfen kann, aber das hatte ihr nichts genützt. Der Vampir hatte sie zu Boden gedrückt, ihr den Hals durchgebissen und das frische Blut geschlürft. Er hatte dazu zwei knorpelige, nadelspitze Kanülen ausgebildet, Saugtrichter, die er in die zerrissenen Blutgefäße der Ratte geschoben hatte.

Es hatte nur ein oder zwei Minuten gedauert, bis dieses »Mahl« beendet war, und Agursky hatte nie zuvor beobachtet, daß die Kreatur sich so begierig auf ihr Futter gestürzt hätte. Und danach ... nun, manchmal zeigte das Wesen jetzt gewisse Nagereigenschaften, die Agursky darauf zurückführte, daß der Vampir sie von der verschlungenen Ratte »gelernt« haben mochte. Und auch das Wort »verschlungen« war hier angebracht, denn nachdem er der Ratte das Blut ausgesaugt hatte, hatte der Vampir auch die Haut, Knochen, den Schwanz und alles andere verspeist.

Aus dicser und einigen weiteren Fütterungen mit lebender Nahrung hatte Agursky ein paar Schlußfolgerungen gezogen, auch wenn diese unbewiesen blieben. Begegnung Nr. 1 war ein Vampir gewesen, oder wenn kein Vampir, dann auf jeden Fall ein Fleischfresser. Es gab Augenzeugen dafür, daß das Wesen mehrere Menschen verschlungen hatte, bevor es aus dem Komplex entkommen war. Begegnung Nr. 2, der Wolf, war ebenfalls ein Raubtier, ein Fleischfresser. Nr. 4 war eine Fledermaus, aber spezifisch eine Vampirfledermaus. Und Nr. 5, der hatte sich selbst als Wamphyri bezeichnet. Gab es da überhaupt etwas in dieser Welt jenseits des Tores, das nicht vampirisch oder ein gefährliches Raubtier war? Agursky schloß daraus, das sei keine Welt, wo er diese Frage gern und aus eigener Erfahrung beantworten wollte.

Eine andere Spekulation oder ein Gedankengang, der zu einer

Anzahl von unerfreulichen Schlüssen führte war dieser: Bei drei der fünf Begegnungen – den fünf Überfällen von der anderen Seite – hatte es sich um Gestaltwandler gehandelt, Kreaturen, die nicht an eine bestimmte Form gebunden waren. Das Ding in dem Kasten, nachdem es in Kontakt mit einer Ratte gekommen war und diese gefressen hatte, konnte jetzt eine annähernde Rattengestalt annehmen. Würde es auch in der Lage sein, einen Menschen zu kopieren? Was im Gegenzug dann wieder zu der Frage führte, ob der Wamphyri-Krieger ein Mensch gewesen war, der die Fähigkeit hatte, seine Gestalt zu wechseln, oder ob er etwas anderes gewesen war, das nur die Gestalt eines Menschen angenommen hatte?

Schauerliche Gedanken und Überlegungen wie diese hatten Agursky den Trost in der Flasche suchen lassen, und als er jetzt wieder daran dachte, wünschte er sich, er hätte etwas zu Trinken bei sich, hier und jetzt. Aber das hatte er nicht. Je schneller er hier fertig wurde, desto schneller war er wieder in seinem Quartier, wo er sich in den Schlaf trinken konnte.

Direkt hinter der Tür stand ein Wagen mit dem Futter für das Wesen in einem geschlossenen Behälter. Dieser Behälter war an eine elektrische Pumpe angeschlossen. Agursky rollte den Wagen näher an den Kasten heran und steckte das Kabel in die Steckdose. Er koppelte den Abflußstutzen des Behälters an den Fütterungsschlauch an der schmalen Seite des Kastens, öffnete die Ventile in dem Behälter und dem Kasten und setzte die Maschine in Gang. Der Elektromotor lief leise an. Mit einem Schmatzen und einem Gurgeln begannen die dickflüssigen Schlachtabfälle zu fließen.

Während er arbeitete, war Agursky sich bewußt, daß er von dem Wesen beobachtet wurde. Es war ungewöhnlich, daß es sich nicht sofort seiner Nahrung zuwandte. Stattdessen hatte es sich nicht von der Stelle gerührt. Nur die Augen hatten sich bewegt und waren seinen Bewegungen gefolgt. Agursky war irritiert. Dunkle rote Klumpen von zerkleinertem Fleisch in einer blutigen Lake wurden in regelmäßigen Schüben in den Kasten gepumpt und bildeten dort einen ekelhaften Haufen von Innereien im Sand vor dem Bau dieses Monsters. Aber trotzdem bewegte es sich nicht.

Agursky runzelte die Stirn. Die Kreatur konnte die Hälfte des eigenen Lebendgewichts auf einmal verspeisen, und sie war jetzt seit vier Tagen nicht mehr gefüttert worden. Sollte sie krank sein? War mit der Luftzufuhr etwas nicht in Ordnung? Was zum Teufel hatte sie vor?

Er ging zu seinem Stuhl zurück und setzte sich wieder so wie immer, mit den Armen über der Lehne gefaltet und dem Kinn auf dem Handrücken seiner linken Hand. Die Kreatur starrte ihn an, mit Augen, die jetzt beinahe menschlich anmuteten. Auch das Gesicht hatte einen großen Teil seiner Rattenhaftigkeit verloren und menschenähnlichere Umrisse angenommen. Der egelförmige Torso streckte sich und verlor dabei die dunkle Farbe und die Runzeln auf der Oberfläche. Es bildeten sich Beine, und Arme und – Brüste?

»Was?« Agursky quetschte das eine Wort zwischen zusammengebissenen Zähnen hervor. *»Was zum ...?«*

Die autarke kieselsteinsammelnde Gliedmaße bildete sich zurück und wurde in die Hauptmasse des Körpers integriert. Dieser Körper war jetzt beinahe menschlich, wenigstens der Form nach. Er hatte die Gestalt einer jungen Frau, sogar das wehende Haar einer jungen Frau. Aber das Haar auf dem Kopf der Kreatur war stumpf und spröde, wie das falsche Haar einer schlecht verarbeiteten Puppe. Die Brüste waren massig und ohne Brustwarzen, wie blasse Fleischklumpen, die man auf eine männliche Brust gepfropft hat. Und auch die Größe stimmte nicht, denn das Wesen hatte nur die Masse eines großen Hundes, und in dieser neuen Form reichte das nur für eine sehr kleine Frau.

Von Sekunde zu Sekunde fühlte sich Agursky mehr angeekelt. Die Kreatur versuchte, eine Frau nachzubilden, aber ihr gelang nur ein scheußliches Zerrbild. Die ›Hände‹ waren Gliedmaßen, die zwar menschlichen Händen glichen, aber die Nägel an den zu dünn geratenen Fingern waren leuchtend rot und viel zu lang. Und schlimmer noch, die ›Füße‹ waren ebenfalls Hände: Die Kreatur konnte dazwischen nicht unterscheiden. Und dann ... das sabbernde, idiotische Gesicht des Dings lächelte Agursky an, und plötzlich wußte er, wo er dieses Lächeln schon gesehen hatte.

Es war das Gesicht und das Lächeln, sogar das Haar, dieser sexgeilen Schlampe Klara Orlova, einer dürren Wissenschaftlerin auf dem Gebiet der theoretischen Physik, die von der Kreatur fasziniert war und gelegentlich vorbeikam, um sie anzustarren. Das Wesen hatte ihr Gesicht gesehen, die Hände mit den hellrot angemalten Nägeln, die oberen Halbkugeln ihrer Brüste, wo sie ihren Kittel aufgeknöpft trug, um die Soldaten anzumachen – aber es konnte nicht wissen, daß zu den Brüsten auch Brustwarzen gehörten, und es hatte ihre Füße überhaupt nicht gesehen. Es hatte einfach vermutet, daß die Füße so aussahen wie die Hände.

Agursky rief sich zur Besonnenheit: Das konnte nicht sein, damit würde er der Kreatur zuviel Intelligenz zuschreiben, und er hatte sich bereits davon überzeugt, daß sie nicht besonders clever war. Diese Nachahmung war nichts anderes als der bedeutungslose, aber menschlich klingende Schrei eines Papageis, oder wie der Affe, der eine Brille trug, um ein Buch zu ›lesen‹. Eigentlich war es sogar weniger als das Letztere, denn der Vorgang war rein instinktiv. Wie der Farbwechsel bei einem Chamäleon, oder besser noch, wie der Farbwechsel des Chamäleons kombiniert mit der Wandelbarkeit eines Oktopoden.

Noch während er dies dachte, hatte das Ding einige der Mängel seiner Imitation ausgebügelt. Die Hautfarbe war jetzt realistischer, wie auch der gemalte Schmollmund. Die Nase und die dunklen Nasenlöcher des Vampirs waren jedoch immer noch abstoßend und unpassend; runzlig, abgeplattet und zitternd. In seinem natürlichen Element – wo auch immer das sein mochte – war der Geruchssinn für das Wesen vielleicht das wichtigste Hilfsmittel zum Überleben. Eine Veränderung der Form dieses Organs würde seine Funktion wahrscheinlich drastisch einschränken. Auf jeden Fall war aber das endgültige Bild, das dieses Ding ihm präsentierte – auch wenn es immer noch falsch war, immer noch grotesk – zumindest so etwas wie ... ein Versuch?

Aber was wollte es bewirken?

Plötzlich, aus heiterem Himmel, stieg heftige Wut in Agursky auf. Wollte dieser ... dieser gottverdammte, fleischfressende Schleim da ihn wirklich erotisch stimulieren?

»Verdammtes ... du verdammtes Ding! Das ist es, oder?« Er sprang auf die Füße. »Du kennst die Unterschiede zwischen uns – oder du spürst sie wenigstens. Und du versuchst sie auszunutzen. Du glaubst, ich werde netter zu meiner gestaltwandlerischen, blutsaufenden, außerirdischen kleinen Schlampe sein, wenn ich glaube, daß ich sie vielleicht vögeln kann, was? Gottverdammt – du hast den falschen Mann erwischt!«

Wie eine spielende Katze dehnte sich das Wesen, rollte sich auf den Rücken und streckte ihm seine nutzlosen Brüste entgegen. Es hatte keinen Bauchnabel, aber ein wenig unter dem Punkt, wo der Bauchnabel sein sollte, war eine vorstehende pulsierende Fleischröhre, die nur das sein konnte, was dieses Ding für eine menschliche Vagina hielt. Diese sexuellen Avancen ließen Agursky vor Wut schäumen. Das Ding wollte ihn wirklich verführen! Er riß eine schwarze Karte aus der Tasche seines Laborkittels und hielt sie dem halb grinsenden, Grimassen schneidenden Ding entgegen.

»Siehst du das, du mutterlose Monstrosität? Wie würde es dir gefallen, für Onkel Vasily zu tanzen, häh? Das magst du nicht, oder?«

Es war ein Bluff und die Kreatur wußte es. Ihre trüben Augen blickten durch das Glas, sahen sich im Raum um, aber Agursky hatte seinen Elektro-Schocker nicht mitgebracht. Er konnte seine Drohung nicht ausführen.

Die gurgelnde, rote Masse aus dem Futterschlauch wurde immer noch in den Kasten gepumpt. Der Behälter war beinahe leer, doch das Ding machte nach wie vor keine Anstalten zu fressen. Aber jetzt, als Agursky sich zitternd wieder setzte, fand ein rotes Rinnsal des Abfallberges auf einem Zickzackkurs zu der

Kreatur und berührte ihre Seite. Die Verwandlung, die dann stattfand, geschah wirklich blitzschnell.

Ihr Hals verdrehte sich in einem unmöglichen Winkel, so daß der Blick des halbmenschlichen Gesichts auf das Blut fiel, das sich an seiner Flanke sammelte. Dann wandte sich der Kopf wieder ihm zu. Agursky sah, daß die Augen des Monsters die Farbe des Blutes angenommen hatten. Die Hölle starrte ihm aus diesen Augen entgegen. Das groteske, fehlerhafte Gesicht begann sich zu verändern, bekam eine andere Gestalt, eine andere Form. Der Mund dehnte sich, bis er fast das gesamte Gesicht ausmachte, öffnete sich, und entblößte eine tiefe Höhle, in der nadelspitze Zähne staken, soweit Agursky sehen konnte. Eine gespaltene Schlangenzunge spielte dort; die Spitzen des gegabelten Endes zuckten hin und her zwischen den speicheltriefenden Lippen des Dings.

»Das entspricht dir ja wohl eher!« rief Agursky ihm entgegen. Er fühlte sich, als habe er einen Sieg errungen. »Dein Plan ist nicht aufgegangen, und jetzt zeigst du, was du wirklich bist.«

Der Kontakt mit dem rohen, blutigen Brei hatte den Hunger des Dings angeregt, hatte ihm die Maske vom Gesicht gerissen. Angesichts von instinktgetriebenen Zwängen konnte es den Trug nicht länger aufrechterhalten. Und doch ... während der ganzen Zeit, die Agursky mit der Kreatur verbracht hatte, hatte er nichts Vergleichbares gesehen. Sein Futter war da und das Wesen wußte das, aber es war mehr als nur Hunger und Blutlust im Spiel. Und wieder fragte sich der Wissenschaftler: *Ist es krank? Fehlt ihm etwas? Und wenn ja, was?*

Als ob das Zucken der Zunge nur der Beginn, der Auslöser, gewesen sei, begann jetzt der ganze Körper zu zucken. Die menschliche Farbe seines Protoplasmas – Agursky hatte Probleme damit, es einfach als Fleisch zu sehen – nahm eine schiefergraue, lepröse Farbe an, und Büschel struppigen Haares wuchsen überall. Die Gliedmaßen bildeten sich zurück, verschwanden im Torso, und das Zittern wurde zu einem gleichmäßigen, spasmischen Zucken.

Agursky sah zu – gegen seinen Willen so fasziniert, daß er seinen Blick nicht von diesem Schauspiel reißen konnte. Seine Lippen entblößten die gelben Zähne in einer Grimasse des Abscheus. Gott, dieses Ding ähnelte nichts mehr als einer riesigen, tumorzerfressenen Placenta mit einem Kopf.

Aber die roten Augen des Monsters starrten ihn noch immer an, und während er weiter zusah, schob sich das Ding seine gespaltene Zunge tief in den eigenen Rachen. Aus den Zuckungen wurden würgende Bewegungen, bis die Kreatur schließlich die eigene Zunge wieder hochwürgte. Auf der leicht nach oben zeigenden Gabel der Zunge balancierte eine zitternde, perlmuttfarbene Kugel von der Größe einer Murmel.

Agursky stand hastig auf, ging zum Kasten hinüber, hockte sich hin und starrte diesen seltsamen Materieklumpen im offenen Maul der Kreatur an. Was es auch war, es war augenscheinlich lebendig. Seine Oberfläche umgab ein matter Film, aber Agursky glaubte Reihen von winzigen Wimperhärchen auf der gesamten Oberfläche erkennen zu können, die die Kugel vertikal um die eigene Achse rotieren ließen, wo sie in der Gabelung der Zunge des Wesens lag.

»Was soll ...?« setzte er an, aber in diesem Moment stieß die Kreatur den Kopf nach vorn und die Zunge entrollte sich. Die matte Kugel wurde direkt dem Gesicht des Wissenschaftlers entgegengeschleudert!

Agursky zuckte instinktiv zurück, verlor das Gleichgewicht und fiel auf den Rücken. Eine lächerliche Reaktion, denn natürlich konnte die Kreatur ihm nichts tun, solange die Glaswand sie trennte. Und da war der schimmernde Klumpen gelandet. Er war platt vor die Glaswand geprallt und hing da.

Aber noch als Agursky aufstand und sich zittrig den Staub abklopfte, setzte die Kugel sich in Bewegung.

Sie glitt an der Innenwand des Kastens herunter, und lag dort – wenn auch nur kurz – auf dem blutbeschmierten Sand und den Kieseln. Dann nahm sie wieder ihre kugelförmige Gestalt an und schwebte wie ein weißliches Bläschen über den Blutfilm. Und mit den unzähligen feinen Wimperhärchen, die es antrieben, folgte es dem Nahrungsbrei bis zu seinem Ursprung unter dem Futterhahn.

Dann passierte etwas Erstaunliches: Wie ein Tischtennisball, der auf einem Wasserstrahl tanzt, kletterte die Kugel an den letzten Blutstropfen hoch zum Ausfluß des Schlauches und verschwand darin. Verwirrt, mit offenem Mund, ging Agursky zu der Seite des Kastens. Die Ventile waren natürlich immer noch geöffnet ... wäre es nicht wunderbar, wenn er dieses Ding isolieren könnte, diesen – Parasiten? War es das? Irgendein parasitäres Lebewesen, das im Körper des Aliens lebte? Vielleicht ja, aber –

Alle möglichen Gedanken und Ideen schossen Agursky durch den Kopf. Er hatte das Ding mit einer Plazenta verglichen, in dem Augenblick, bevor es diese Kugel hochgewürgt hatte. Vielleicht war die Idee, die er da gehabt hatte, gar nicht so weit vom Schuß gewesen. Die Kreatur hatte offenbar eine Form von Kataklase durchlaufen, eine Rückbildung der Zellen und Zellgewebe zu einer primitiveren, fast embryonischen Form. Plazenta, Kataklase, Embryo, Protoklase –

Ei?

Agursky drehte die Ventile zu und schaltete die Pumpe ab. Dann zog er den Wagen zu sich hin und hob den schweren Deckel des Futterbehälters. Unten, in der Mitte des Behälters, auf dem Boden, auf einem Film aus Blut und zwischen einigen Klümpchen aus roten Fleischfetzen und unidentifizierbaren biologischen Rückständen, drehte sich die perlmuttfarbene Kugel in einem Wirbel fast unsichtbarer kleinster Härchen. Agursky starrte das Schauspiel an und schüttelte verständnislos den Kopf.

In einem Moment des Leichtsinns und der Faszination und weil er schlicht vergessen hatte, womit er es hier zu tun hatte, streckte er den Arm in den Behälter und tippte die kleine Kugel sanft mit dem Zeigefinder der rechten Hand an. Im Augenblick der Berührung bemerkte er den Aberwitz dieser Handlung, aber da war es schon zu spät.

Das kugelförmige Wesen lief augenblicklich blutrot an – und sauste an seiner Hand hoch unter die Manschette seines Laborkittels. Agursky stieß einen gurgelnden Schrei aus, fuhr hoch und sprang weg von dem Wagen. Er konnte fühlen, wie das kugelförmige Etwas feucht seinen Unterarm hochglitt und sich schnell über den Oberarm zur Schulter vorarbeitete. Einen Augenblick später kam es in seinem Nacken aus dem Kragen heraus. Er hopste herum wie ein Wahnsinniger, fluchte und schlug nach dem Ding. Er fühlte es feucht an seiner Handfläche und für einen winzigen Moment glaubte er, es zerquetscht zu haben. Aber dann war es direkt in seinem Nacken.

Und da wollte es hin! Das Vampir-Ei senkte sich wie Quecksilber in Agurskys Haut und setzte sich an seinem Rückgrat fest.

Unbeschreibliche Schmerzen überfluteten augenblicklich seinen Körper, seine Gliedmaßen, seinen Verstand. Rein instinktiv, wie ein Mann, der an eine Stromleitung gefaßt hat, sprang er hin und her. Er prallte gegen eine Wand, stolperte benommen von ihr weg und fiel auf die Knie. Irgendwie gelangte er wieder auf die Füße und wankte durch den Raum. Er watete durch ein Meer von Schmerzen. Er mußte etwas unternehmen, aber dieses schreckliche ... dieses unerträgliche ...

Rote Raketen explodierten, brannten sich durch sein Hirn. Irgend jemand – irgend etwas – träufelte Säure auf Nervenenden, die so empfindlich waren, als seien sie dafür extra sensibilisiert worden. Agursky schrie, und als die ganze Welt um ihn herum rot wurde, sah er seine einzige mögliche Rettung: den schwarzen Alarmknopf in dem rotgeränderten Glaskästchen an der Wand.

Bevor er das Bewußtsein verlor, fand er gerade noch die Kraft, die Scheibe dieses Kastens einzuschlagen ...

SECHSTES KAPITEL

Harry saß am Ufer des Flusses und sprach mit seiner Mutter. Er glaubte, allein und unbeobachtet zu sein, aber auch wenn er das nicht war, machte es keinen Unterschied: Niemand würde sich über einen verrückten Einsiedler aufregen, der am Ufer saß und mit sich selbst redete. Er vermutete, daß ein paar der Einheimischen ihn so sahen: als einen exzentrischen Sonderling; jemanden, vor dem man auf der Hut sein mußte, der aber eigentlich harmlos war. Er hegte diesen Verdacht, aber es kümmerte ihn nicht sonderlich. An ihrer Stelle würde er über sich wahrscheinlich genauso denken.

Manchmal wünschte er sich sogar, an ihrer Stelle zu sein, ein normales, gewöhnliches, alltägliches Leben zu führen. Homo sapiens alltagiensis. Aber er führte nicht ihr Leben, er führte sein eigenes Leben und das konnte man schwerlich als normal bezeichnen. Er war ein Necroscope, und soweit er das sagen konnte, war er der einzige Necroscope auf der Welt. Es mußte noch mindestens einen weiteren geben, seinen Sohn, aber Harry Junior befand sich nicht länger auf dieser Welt. Oder falls er das war, dann wußte Harry nicht, wo.

Harry sah zwischen seinen Knien und den baumelnden Beinen hindurch auf sein eigenes Gesicht, das sich auf der Wasseroberfläche spiegelte. Er beobachtete, wie sich die ausdruckslose Miene zu einem zynischen Grinsen verzerrte. ›Sein eigenes Gesicht‹, ach ja! Denn – um die Dinge noch zu komplizieren – dieses Gesicht war nicht sein eigenes. Das heißt, jetzt schon! Aber früher war es das Gesicht von Alec Kyle gewesen, der das britische E-Dezernat geleitet hatte. Und doch schien Harry auch sich selbst zu sehen – den Harry Keogh, der er einmal gewesen war – über das andere Gesicht gelegt, so daß sich eine Maske ergab, die nicht ganz so fremd wirkte. Jetzt nicht mehr. Aber er hatte acht lange Jahre gebraucht, um sich daran zu gewöhnen. Acht Jahre, in denen er morgens aufgewacht war, in den Spiegel gesehen und sich gefragt hatte: *Mein Gott! Wer ist das?*

Schließlich war die Frage bedeutungslos geworden. Er wußte, wer das war: er selbst, wenn schon nicht sein Körper, so doch sein Geist.

»Harry?« Der plötzlich besorgte Tonfall seiner Mutter durchbrach seine gedanklichen Unvereinbarkeiten. »Du weißt, daß du dir über diese Dinge keine Gedanken mehr machen solltest. Dieser Teil deines Lebens ist vorbei, ist vorüber. Du mußtest einen Job erledigen, und du hast es getan. Du hast mehr getan, als irgendein anderer hätte tun können. Und auch wenn all das gewisse, na ja, Veränderungen bewirkt hat, so weißt du doch, daß du immer noch du selbst bist.«

»Aber im Körper eines anderen Mannes«, antwortete er bitter.

»Alec war tot, Harry.« Sie formulierte es so brutal, weil man es nur so sagen konnte. »Er war schlimmer dran, als wenn er tot gewesen wäre, denn von seinem Verstand war nichts übrig – so wenig wie von seiner Seele. Und außerdem hattest du gar keine Wahl.«

Harrys Gedanken, angeregt von der Stimme seiner Mutter, trugen ihn zurück, zurück in die Zeit vor acht Jahren.

Alec Kyle war mit einer Mission in Rumänien betraut gewesen – er mußte die Überreste eines menschlichen Vampirs vernichten, die dort im Boden lagerten. Thibor Ferenczy war damals schon tot gewesen, aber er hatte einen Teil von sich in der Erde hinterlassen, der den Boden verseuchte und damit jeden, der in die Nähe dieser Stelle kam. Kyle hatte Erfolg gehabt und das Ding vernichtet. Als er nach England zurückkehren wollte, war er von russischen ESPern abgefangen worden. Er war heimlich nach Rußland, in das Chateau Bronnitsy ausgeflogen worden, das damals das Hauptquartier des sowjetischen E-Dezernats war, wo er einer besonders perfiden Methode der Gehirnwäsche unterworfen wurde. Sein Verstand war elektronisch ausgeleert worden, seinem Hirn war buchstäblich alles Wissen entzogen worden. *Alles* Wissen. Es war nicht nur eine Sache von grellen weißen Lichtern, Gummischläuchen, Wahrheitsdrogen und ähnlichem: Man hatte ihm die Grundinhalte seines Verstandes gewaltsam und überflüssigerweise herausgezogen wie einen gesunden Zahn und die Inhalte dann verworfen. Im Verlauf des Prozesses hatten sowjetische Telepathen die Informationen, die für sie sinnvoll waren, gestohlen, und so alle Geheimnisse ihrer Feinde, der englischen ESPer, erfahren. Als sie mit Kyle fertig waren, lebte er noch – wurde für eine Weile am Leben gehalten – aber sein Verstand war völlig leer, ausgesaugt. Wenn man ihn von der Herz-Lungenmaschine abgekoppelt hätte, wäre sein Körper gestorben, weil seinem Verstand die Informationen entzogen waren, die er brauchte, um den Körper am Leben zu halten. Genau das war die Absicht seiner Folterer: Sie wollten ihn sterben lassen, und seinen Körper würde man dann irgendwo in West Berlin finden. Kein Pathologe auf der weiten Welt würde mit Sicherheit sagen können, woran er gestorben war.

So sollte es passieren. Nur ... während Alec Kyle eine Hülle war, ein leerer Geist in einem lebenden Körper, war der damalige Harry Keogh nur Geist! Unkörperlich, wie er war, ein körperloser Bewohner des Möbius-Kontinuums, war Harry auf der Suche nach Kyle gewesen, hatte ihn gefunden, und der Rest verlief beinahe ohne sein Dazutun. Ein Vakuum widerstrebt der Natur, sowohl in der physikalischen wie auch der metaphysischen Welt. Das normale Universum kann mit einem körperlosen Wesen nichts anfangen. Und Kyles Hirn war eine unnatürliche Leere gewesen. So war Harrys Geist mit Kyles Körper verschmolzen.

Seit damals ... Es war seitdem sehr viel geschehen.

Harry riß sich zusammen, um nicht so mißmutig zu wirken, und starrte sein Spiegelbild in dem stillen Wasser noch intensiver an. Sein Haar – oder Alecs?– war kastanienbraun, dicht und lockig. Aber in den letzten Jahren war der Glanz zum größten Teil verschwunden, und graue Strähnen kamen deutlich zum Vorschein. Es würde nicht mehr lange dauern, und das Grau gewann die Oberhand und übertünchte das Braun, obwohl Harry noch nicht einmal Dreißig war. Auch seine Augen waren honigbraun: sehr groß, sehr aufgeweckt und – so seltsam das auch klingen mochte – sehr unschuldig! Selbst jetzt, trotz allem, was er gesehen, erlebt und erfahren hatte, blickten sie immer noch unschuldig drein. Man konnte zwar einwenden, daß manche Mörder die gleichen Augen haben, aber bei Harry war dieser Eindruck weitgehend echt. Er hatte nicht darum gebeten, das zu sein, was er war, oder dazu gezwungen zu sein, die Dinge zu tun, die er getan hatte.

Seine Zähne waren kräftig, nicht ganz weiß und ein wenig schief; sie saßen in einem Mund, der ungewöhnlich empfindsam war, der aber auch grausam und sarkastisch sein konnte. Er hatte eine hohe Stirn, auf der er immer wieder nach Sommersprossen suchte. Der alte Harry hatte Sommersprossen gehabt, aber jetzt hatte er sie nicht mehr.

Was den Rest von Harrys Körper anging: Er war früher gut gepolstert gewesen, vielleicht ein wenig übergewichtig. Bei der Größe machte das aber nichts. Jedenfalls nicht für Alec Kyle, dessen Arbeitsplatz beim E-Dezernat in erster Linie ein Schreibtischjob gewesen war. Harry kümmerte es aber schon. Er hatte seinen neuen Körper trainiert und ihn in Top-Form gebracht. Er war gut in Schuß für einen vierzigjährigen Körper. Aber er wäre besser in Schuß gewesen, wenn es ein dreißigjähriger Körper wäre, so wie Harrys ursprünglicher.

»Du haderst wieder mit dir, Harry«, unterbrach seine Mutter den Gedankenfluß. »Was bedrückt dich, Sohn? Immer noch Brenda und Klein-Harry?«

»Es hat keinen Zweck, das abzustreiten«, antwortete er schroff mit einem leichten verärgerten Achselzucken. »Du bist ihnen nie begegnet, oder? Weißt du, er hätte auch mit dir reden können. Aber ... ich komme immer noch nicht darüber hinweg, wie er das getan hat. Jemanden – oder auch zwei geliebte Personen – zu verlieren, ist eine Sache, aber es ist etwas völlig anderes, wenn man sich fragen muß, warum. Er hätte mir sagen können, wo er sie hinbringt, hätte seine Gründe erklären können. Schließlich war es nicht meine Schuld, daß sie so war, wie sie war, oder? Aber vielleicht war es das doch«, wieder dieses Achselzucken, »ich weiß es nicht mehr ...«

Seine Mutter hörte dies alles nicht zum ersten Mal; sie wußte, was er meinte, konnte genau seine ansonsten vagen Worte und Ausdrucksweisen deuten, selbst den Klang seiner Stimme. Denn auch wenn er das nicht zu tun brauchte, sprach er meist laut zu ihr. Er brauchte das nicht, weil er ein Necroscope war – nicht einer, er war *der* Necroscope, der Mann, der mit den Toten kommunizierte – und weil sie tot war, und das schon, seit Harry ein Kleinkind gewesen war. Sie lag dort unten schon seit mehr als siebenundzwanzig Jahren, unter dem Schlamm und dem Schilf des Flusses, ermordet vor all diesen Jahren von Harrys Stiefvater. Ja, und jetzt war eben dieser Verräter dort unten bei ihr, wo Harry ihn hingeschickt hatte, aber Viktor Shukshin hatte schon vor langer Zeit aufgehört, mit irgend jemandem zu reden.

»Warum betrachtest du es nicht von dieser Seite?« fragte seine Mutter nüchtern. »Für ein einfaches Bauernmädchen hat Brenda sehr viel durchmachen müssen. Vielleicht wollte sie einfach ... na ja, dem allem entgehen. Wenigstens für eine Weile.«

»Acht Jahre lang?« In Harrys Stimme lag eine gewisse Schärfe.

»Nachdem sie den Absprung geschafft hatte«, fuhr seine Mutter hastig und dennoch so diplomatisch wie möglich fort, »hat sie vielleicht festgestellt, daß sie da glücklicher war. Und weil Harry Junior gesehen hat, daß sie dort glücklicher war, sind sie nicht zurückgekommen. Schließlich gilt doch deine oberste Überlegung ihrem Glück, oder Harry? Und du bist doch der erste, der zugestehen wird, daß du nicht mehr der Mann warst, den sie geheiratet hatte. Jedenfalls nicht wirklich. Oh!« Er konnte sich vorstellen, wie sie die Hand vor den Mund schlug, obwohl er wußte, daß sie beides nicht mehr hatte. Sie war über ihr eigenes Argument gestolpert und hatte dabei nicht nur ihre eigenen Gedanken, sondern auch die von Harry ausgesprochen. »Ich meine ...«

»Ist schon gut«, beruhigte er sie. »Ich weiß, was du meinst. Und du hast recht – mit allem, was du da angedeutet hast.« Aber weil sie diplomatisch sein wollte, war sie nicht weit genug gegangen. Und auch das wußte Harry.

Damals, vor acht Jahren war folgendes passiert: Im Möbius-Kontinuum hatte Harry durch Zufall von einem abgefeimten Plan erfahren, der in der realen Welt umgesetzt werden sollte. Der Vampir Thibor Ferenczy hatte eine schleichende Verwandlung in einem Kind in Gang gesetzt, das zu der Zeit noch gar nicht geboren war. Er hatte sich physisch – und psychisch, auf spiritueller Ebene – an einer Schwangeren vergangen, wobei sich etwas von ihm an den Foetus angehängt hatte und mit diesem verschmolzen war. Jetzt war dieses Kind, Yulian Bodescu, zu einem Jugendlichen herangewachsen, und mit zunehmendem Alter hatte sein bösartiges Potential die Oberhand über sein Menschentum und seine menschliche Seite gewonnen. Seine monströse Vampirgestalt war zum Vorschein gekommen.

Die Aufgabe des britischen E-Dezernats hatte eigentlich aus zwei Teilen bestanden: Sie mußten in der UdSSR und ihren Satellitenstaaten das finden und zerstören, was von den Vampirüberresten noch verblieben war – vor allem das, was noch von Thibor existierte –, damit so etwas wie die ›Bodescu Angelegenheit‹ nie wieder auftreten konnte; und sie mußten Yulian Bodescu selbst zerstören, durch den Thibor die Welt aufs neue zu terrorisieren gedachte.

Aber Bodescu hatte die heimlichen Aktivitäten des E-Dezernats bemerkt, vor allem deren Plan und ihre Entschlossenheit, ihn zur Strecke zu bringen, und er hatte seine schrecklichen, gerade erwachenden Vampirkräfte und seine eisige, mörderische Wut gegen sie gerichtet. Sein wichtigster Gegner im bristischen E-Dezernat war der körperlose Harry Keogh gewesen, der zu dieser Zeit in der Psyche seines eigenen neugeborenen Sohnes gefangen gewesen war. Wenn es ihm gelänge, Harry Junior zu töten, hätte Bodescu sich auch Harry Seniors entledigt. Und danach ... die übrigen Angehörigen des E-Dezernats würden einer nach dem anderen von dem Vampir aufgespürt und zur Strecke gebracht werden.

Dieser Plan an sich war schon grauenhaft genug, aber der wahre Horror lag erst in den Konsequenzen eines solchen Blutbades; denn dann wäre Bodescu nicht mehr aufzuhalten gewesen, da er fast ausschließlich durch reine Willenskraft eine Armee aus untoten Gefolgsleuten erzeugen konnte, die sich wie eine dunkle Pest über die ganze Erde ausbreiten würden! Und diese Gefahr bestand nicht nur hypothetisch, denn auch wenn Bodescu zu einem der Wamphyri geworden war, so besaß er doch nicht deren Selbstdisziplin. Die Wamphyri waren bodenverhaftet, sie steckten voller kaltem Stolz, sie waren einzelgängerisch und vorsichtig, und für gewöhnlich hatten sie ihr eigenes Leben fest im Griff. Vor allem aber waren sie eifersüchtig auf ihre Kräfte bedacht und bewahrten mit extremer Vorsicht ihre Wamphyri-Natur und ihre Historie, mit einem gehörigen Respekt vor den Fähigkeiten und dem Erfindungsreichtum der Menschen. Wenn die Menschen erfahren würden, daß sie sehr real waren und nicht nur Kreaturen aus Mythen und Legenden, würden sie sich bemühen, sie zu jagen und endgültig zu vernichten! Aber Yulian Bodescu war ein Autodidakt; er war nicht von einem Wamphyri erzogen worden. Er war nichts von dem, was einen wahren Wamphyri ausmachte, und er besaß keine ihrer – wenn auch zweifelhaften – Qualitäten. Er war nichts weiter als ein Vampir, und er war wahnsinnig.

Brenda und ihr nur wenige Monate altes Baby Harry Junior lebten in einer Mansardenwohnung in Hartlepool, an der Nordostküste Englands, als die Dinge sich schließlich zuspitzten. Indem er eine Spur aus Gewalt und vergossenem Blut hinter sich herzog, entkam Bodescu den Versuchen des britischen E-Dezernats, ihn zu stellen. Er floh aus seinem Haus in Devon und wandte sich nach Norden. Da er die Fähigkeit seines Mentors zur schrecklichen Nekromantik geerbt hatte, war er in der Lage, aus den entweihten Leichen seiner Opfer zu lesen, und ihnen aus Hirn, Blut und Eingeweiden all ihre innersten Geheimnisse zu entreißen. Das war auch seine Absicht in Bezug auf die beiden Harrys, Vater und Sohn: Er wollte sie ermorden und die Geheimnisse des Necroscopen erfahren, um so die Natur und die Möglichkeiten des metaphysischen Möbius-Raumes für die eigenen Zwecke mißbrauchen zu können.

Bei ihrem Angriff und der Zerstörung des Hauses in Devon entkam dem E-Dezernat zwar ihr eigentliches Ziel, aber sie fanden dort unvorstellbare Schreckgestalten. Bodescus Tante, sein Onkel und seine Cousine waren gefoltert und vampyrisiert worden; sein gewaltiger schwarzer Hund war mehr als nur ein gewöhnlicher Hund; ein protoplasmisches Wesen bewohnte die Erde unter den weitläufigen Kellern; und Bodescus Mutter war verrückt geworden durch das grauenhafte Wissen um das, was aus ihrem Sohn geworden war. Das Haus und alle, die darin wohnten, wurden den Flammen übergeben.

Das E-Dezernat hatte Leute in Hartlepool stationiert, ESPer, die diskret das Gebäude aus der Edwardianischen Zeit überwachten, in dem Brendas Wohnung lag. Die örtliche Polizei und der Geheimdienst waren ebenfalls unterrichtet worden – wenn auch nur ganz vorsichtig, um die Bevölkerung nicht zu beunruhigen. Man hatte erklärt, daß die Frau und das Kind in der Mansardenwohnung unter Umständen Zielscheiben für einen ›ausgebrochenen Irren‹ darstellten. Ihre Anwesenheit hielt den Vampir aber keineswegs auf; er drang in das Gebäude ein, tötete ohne Gnade und mit erschreckender Effizienz alle, die sich ihm in den Weg stellten, und erreichte schließlich sein Ziel. Aber wo der körperlose Harry Keogh selbst machtlos gewesen war, war sein neugeborener Sohn alles andere als das. Er hatte die übernatürlichen Fähigkeiten seines Vaters geerbt: Er konnte mit den Toten reden, konnte sie sogar aus ihren Gräbern auf dem Friedhof gegenüber des Hauses auferstehen lassen.

Harry Senior hatte sich in der Psyche des Babys gefangen gefühlt, aber das war nicht der Fall. Das Baby hatte ihn nur aus einem Grund festgehalten: um Harrys Verstand zu erforschen und von ihm zu lernen. Körperlich war Harry Junior ein offenbar hilfloses Baby. Aber sein Geist ...

Harry Juniors Fähigkeiten waren bereits weiter entwickelt, als die seines Vaters es je gewesen waren. Harry Senior hatte von den Möglichkeiten, die seinem Sohn zur Verfügung standen, noch nicht einmal geträumt. Die ganze Theorie war da, im Verstand des Kindes. Nur die praktische Anwendung, die Erfahrung, fehlte ihm.

Brenda, die ihr Baby vor dem unvorstellbaren Alptraum, den Yulian Bodescu darstellte, schützen wollte, war von dem Vampir zur Seite geschleudert worden. Sie lag bewußtlos am Boden und hatte die endgültige Auseinandersetzung nicht mit angesehen. Als Harry jetzt an diese Szene in der Wohnung denken mußte, stand sie so lebhaft vor seinem Auge wie damals:

Die beiden Harrys blickten durch die Augen des Neugeborenen in das Gesicht des personifizierten Schreckens, in das Gesicht Yulian Bodescus. Wie er sich über die Wiege beugte, sprach die hemmungslose Bosheit in seinen Augen eine allzu klare Sprache.

Erledigt! hatte Harry gedacht. *Jetzt ist alles vorbei, und das ist das Ende!*

Nein, hatte eine andere Stimme, nicht seine eigene, in seinem Versand gesprochen. *Nein, das ist es nicht. Durch dich habe ich gelernt, was ich lernen mußte. Dafür benötige ich dich jetzt nicht mehr. Aber ich brauche dich immer noch als meinen Vater. Geh also und rette dich.*

Es gab nur eine einzige Person, die so zu ihm sprechen konnte, und die es jetzt tat, zum allerersten Mal, wo keine Zeit mehr blieb, nach Gründen und Motiven zu fragen. Und dann ...

Harry spürte, wie die Schranken, die das Kind ihm auferlegt hatte, von ihm abfielen wie zerbrochene Ketten und ihm die Freiheit wiedergaben. Die Freiheit, seinen körperlosen Geist ins Möbius-Kontinuum zu transferieren und damit in Sicherheit. Er hätte auf der Stelle gehen können und seinen Sohn allein zurücklassen müssen, um dieser Drohung entgegenzutreten. Er hätte es tun können – aber er vermochte es nicht!

Bodescus Kiefer hatten sich geöffnet wie ein Höllenpfuhl, und eine Schlangenzunge enthüllt, die hinter schimmernden Dolchzähnen hin und her züngelte.

Geh, hatte der kleine Harry erneut gesagt, diesmal mit größerer Dringlichkeit.

Du bist mein Sohn, war es aus Harry herausgebrochen. *Verdammt, ich kann nicht gehen! Ich kann dich hier nicht zurücklassen!*

Mich hier zurücklassen? Es war, als könne der Neugeborene seinen Überlegungen nicht folgen. Aber dann verstand er ihn doch und sagte: *Hast du etwa gedacht, ich würde hier bleiben?*

Die klauenbewehrten Hände des Monsters griffen nach dem Kind in der Wiege. Klein Harry sah die Gier in den Augen des Untiers. Er drehte seinen runden Kopf nach links und rechts auf der Suche nach einer Möbiustür. Eine Tür bildete sich und stieg aus den Kissen auf. Das Herbeirufen der Tür war selbstverständlich für ihn, reiner Instinkt. Die Befähigung lag in seinen Genen. Die Fähigkeit war von Anfang an da gewesen. Seine Kontrolle über seinen Geist war ehrfurchtgebietend, die über seinen Körper war jedoch weniger ausgeprägt. Aber soviel gelang ihm doch. Er spannte ungeübte Muskeln an, rollte sich zusammen und kugelte sich durch die Möbiustür. Die Hände und Kiefer des Vampirs krallten sich in leere Luft.

Danach war es um Yulian Bodescu geschehen. Nicht Harry hatte die Toten von dem benachbarten Friedhof gerufen, wohl aber sein Sohn. Denn die Toten hatten dieses Kind, das schon aus dem Mutterleib heraus mit ihnen geredet hatte, lieben gelernt. Sie liebten ihn so, wie sie seinen Vater liebten, und sie vertrauten ihm im gleichen Maße. Und wenn Harry Junior in Gefahr war, dann reichte das aus, daß sie todesstarre Glieder wieder in Bewegung setzten, daß sie Gewebe und Sehnen, die schon vor langer Zeit zu Leder verdorrt und von den Würmern zernagt worden waren, wieder in ein Pseudoleben zurückholten.

Sie hatten den Vampir überwältigt, hatten ihn zwischen ihren offenen Gräbern gepfählt, seinen sich heiser schreienden Kopf von den Schultern getrennt und ihn zu Asche verbrannt. Und Harry Senior, nicht mehr eingekerkert und wieder Herr des Möbius-Kontinuums, hatte ihnen zugesehen und sie angespornt, wenn sie zu zaudern drohten.

Und später ... Harry hatte feststellen müssen, daß ein neugeborener Sohn nicht nur sein eigenes Leben gerettet, sondern auch seine bewußtlose Mutter aus der Gefahrenzone gebracht hatte. Das Kind hatte mit Hilfe möbiusscher oder zöllnerischer

Metaphysik sich und Brenda an einen sicheren Ort gebracht: Ins Hauptquartier des E-Dezernats in London! Und Harry war seinem eigenen Schicksal überlassen, das für ihn die körperliche Hülle bereit hielt, die einst Alec Kyle gewesen war.

Er war in diesen Körper geschlüpft und hatte dabei das neue Spielzeug des KGB zerstört, das sowjetische Zentrum für paranormale Spionage im Chateau Bronnitsy.

Und danach ... danach wäre es an der Zeit gewesen, sich zu erholen, innezuhalten und Bilanz zu ziehen, sich einzugliedern und sein Leben in Ordnung zu bringen. Aber die Mitarbeiter des E-Dezernats konnten in ihrer Freude über ihren dreifachen Sieg – die Eliminierung von Yulian Bodescu, die Vernichtung der noch vorhandenen Vampirüberreste im Ausland und die Zerstörung des russischen vom KGB unterwanderten ESPer-Korps – den Stress nicht richtig einschätzen, dem Harry und seine Familie ausgesetzt gewesen waren. Jetzt, nachdem die Aufgabe erledigt war, wollten sie die ganze Sache untersucht, erfaßt, studiert und erklärt haben – und der Einzige, der das alles überblickte, war Harry. Einen Monat lang gab er ihnen, was sie wollten, und überlegte sogar, ob er den Job als Leiter des E-Dezernats annehmen sollte. Aber während dieses Monats wurde auch deutlich, daß es Brenda nicht gut ging. Wie Harrys Mutter gerade noch gesagt hatte, hätte man damit eigentlich sogar rechnen müssen: Brendas Nervenzusammenbruch war zu erwarten gewesen.

Schließlich hatte sie erst vor kurzem entbunden und erholte sich immer noch von einer heiklen Schwangerschaft und einer schwierigen Geburt. Für eine kurze Zeit hatten die Ärzte sogar geglaubt, sie würde das nicht überstehen. Wenn man dazu noch die Talente ihres Mannes – die Tatsache, daß er ein Necroscope war – in Betracht zog, vor denen sie gewußt und die sie seit Monaten heftig beschäftigt hatten; sowie die Tatsache, daß ihr Kind offenbar ähnliche und sogar noch umfassendere Fähigkeiten besaß, so daß selbst die Männer vom E-Dezernat, die selbst PSI-Fähigkeiten aufwiesen, ihn als eine Art Freak betrachteten; die Tatsache, daß Harry jetzt – buchstäblich – ein anderer Mann war, ein Mann, der zwar Harry war mit seiner Vergangenheit, seinen Erinnerungen und Angewohnheiten, der aber in einem ganz anderen Körper lebte; den absoluten Horror, den sie hatte durchmachen müssen in dieser Nacht, Auge in Auge mit dem Monster Yulian Bodescu, einem Monster, das sie sich wahrscheinlich nicht einmal in ihren schlimmsten Alpträumen hätte ausmalen können ...

Es war kaum verwunderlich, daß der Verstand des armen Mädchens diesem Druck nicht gewachsen war! Hinzu kam noch, daß sie London haßte, aber nicht nach Hartlepool zurück konnte. Ihre alte Wohnung war ihr unerträglich geworden, dort lauerten grauenhafte Erinnerungen auf sie. Allmählich verlor sie den Bezug zur Wirklichkeit, und ihre Aufenthalte bei verschiedenen Spezialisten und in psychiatrischen Kliniken nahmen zu. Und eines morgens waren sie und das Baby ...

»Sie waren verschwunden!« Harry sprach es laut aus. »Sie waren nicht mehr da, und sie waren auch nirgendwo, wo ich sie finden konnte. Und was mir am meisten zu schaffen macht, ist die Tatsache, daß es keine Vorwarnung, keine Anzeichen dafür gegeben hat. Er hat einfach gehandelt und sie weggebracht ... irgendwohin. Und weißt du was? Er hat nie mit mir geredet. Nach diesem ersten Mal in der Wohnung, als Yulian Bodescu uns beinahe getötet hätte, hat er nie wieder mit mir geredet! Er hätte es tun können; er hat mich auf diese typische Art von Babys angesehen und ich wußte, er hätte mit mir reden können. Aber er hat es nie getan.« Harry seufzte resigniert. »Also hat auch er mir vielleicht die Schuld gegeben. Vielleicht haben sie das beide. Und möglicherweise hatten sie ja sogar recht, mir die Schuld zu geben! Wenn ich nicht so gewesen wäre, wie ich war ...«

»Ach?« Seine Mutter war jetzt wütend. Sie mochte diesen Anflug von Selbstmitleid nicht, der sich in Harrys Stimme geschlichen hatte. Wo war die innere Kraft geblieben, die er besessen hatte? »Was wäre, wenn du nicht der gewesen wärst, der du warst? Was wäre mit Boris Dragosani, der dann immer noch in Rußland leben würde? Und mit Yulian Bodescu, der Gottweiß-was-für-Böses über die ganze Welt verbreitet hätte? Und was ist mit den unzähligen Toten, verloren und vergessen, einsam und verlassen, die auf ewig ihre toten Gedanken in der kalten Erde denken würden, und die nie erfahren würden, daß sie nicht allein sind? Du hast das alles geändert, Harry. Und es gibt kein Zurück. Hah! Wenn du nicht der gewesen wärst, der du warst ...«

Er nickte bedächtig vor sich hin. Natürlich hatte sie recht. Dann hob er einen Kiesel und ließ ihn ins Wasser fallen, wo die Wellenkreise sein Spiegelbild auslöschten. »Und doch«, sagte er, als sich sein Ebenbild langsam wieder formte, »würde ich gerne wissen, wo sie hin sind. Ich möchte mich vergewissern, daß es ihnen gut geht. Bist du sicher, Mama, daß du nicht doch irgend etwas gehört hast?«

»Von den Toten? Harry, es gibt unter uns niemanden, der dir nicht helfen würde. Glaub mir, wenn Brenda und Klein Harry ... wenn sie bei uns wären, wärst du der erste, der das erfahren würde. Wo auch immer sie sind, sie sind noch am Leben, mein Sohn. Darauf kannst du dich verlassen.«

Er überlegte und rieb sich müde die Stirn. »Weißt du, Mama, ich begreife das einfach nicht. Wenn jemand in der Lage sein sollte, sie zu finden, dann doch wohl ich. Und ich habe nicht einmal eine Spur von ihnen entdeckt! Als sie verschwunden sind, habe ich die Leute vom E-Dezernat nach ihnen suchen lassen. Sie konnten sie nicht finden. Ein paar von ihnen kamen sogar vorsichtig mit der Idee zu mir – und natürlich mit sehr viel Fingerspitzengefühl, wie du dir denken kannst – daß Brenda und das Baby tot sein könnten. Und als ich den Job dann sechs Monate später Darcy Clarke übergab, war wohl jeder davon überzeugt, daß sie tot sind. Die E-Branch hat Leute, die können jeden überall finden – Fährtensucher, die psychische Emanationen auf der anderen Seite der Erde wahrnehmen – aber auch die konnten meinen Sohn nicht finden. Und Harrys Talente waren bei weitem größer als meine eigenen. Aber deine Leute« – er redete von der großen Mehrheit, von den Toten –, »behaupten, daß die beiden am Leben sind, daß sie am Leben sein müssen, weil sie nicht unter den Toten sind. Und ich weiß, daß keiner von Euch mich belügen würde. Und dann denke ich mir: Wenn sie nicht tot sind, aber auch nicht hier, wo ich sie finden kann – wo zum Teufel stecken sie dann? Das frißt mich auf.«

Er konnte ihr Nicken fühlen, spürte, wie sehr er ihr leid tat. »Ich weiß, mein Sohn, ich weiß.«

»Und was das gewöhnliche Suchen angeht ...«, er fuhr fort, als habe er sie nicht gehört, »... gibt es irgendeinen Ort auf der Welt, wo ich nicht nach ihnen gesucht habe? Aber wenn das E-Dezernat sie nicht finden konnte, welche Chance habe ich dann?«

Harrys Mutter hatte das alles schon oft gehört. Das war zur Besessenheit bei ihm geworden, der einzigen Leidenschaft in seinem Leben. Er war wie ein Spieler, der dem Roulette verfallen ist und dessen einziger Traum darin besteht, ein »System« zu finden, wo es keines gibt. Er hatte fast fünf Jahre mit der Suche verbracht, und weitere drei damit, die verschiedenen Phasen der Suche zu koordinieren. Und alles hatte ihn nicht weitergebracht. Sie hatte versucht, ihm soweit wie möglich zu helfen, aber bisher war es nur ein langes und bitter enttäuschendes Unterfangen gewesen.

Harry stand auf und klopfte sich ein wenig Staub von den Hosen. »Ich gehe jetzt zum Haus zurück, Mama. Ich bin müde. Ich bin schon seit langer Zeit sehr müde. Ich glaube, ich könnte einen langen, erholsamen Schlaf gebrauchen. Manchmal glaube ich, es wäre gut, wenn ich einfach nur abschalten könnte ... wenn ich nicht immerzu an die beiden denken müßte.«

Sie wußte, was er meinte: Er hatte das Ende seiner Suche erreicht; es gab nichts mehr, wo er noch suchen konnte.

»Das stimmt«, bestätigte er und wandte sich vom Flussufer ab. »Es gibt keinen Ort mehr, wo ich noch suchen könnte, und es würde wohl auch nicht mehr viel Sinn machen. Nichts ergibt mehr irgendeinen Sinn ...«

Mit hängendem Kopf lief er in jemanden hinein, der sofort seinen Arm ergriff, damit er nicht stürzte. Zuerst erkannte Harry den Mann nicht, aber die Erinnerung setzte relativ schnell wieder ein: »Darcy? Darcy Clarke?« Harry begann zu lächeln, aber das Lächeln gefror sofort auf seinem Gesicht. »Ah ja – Darcy Clarke«, sagte er, jetzt mit weit weniger Begeisterung. »Du wärst nicht hier, wenn du nicht etwas von mir wolltest. Ich dachte, ich hätte es euch klar gemacht, daß ich mit all dem fertig bin.«

Clarke musterte Harrys Gesicht, ein Gesicht, daß er von früher gut kannte, als es noch jemand anderem gehört hatte. Es hatte mehr Falten als früher, und auch mehr – Charakter. Nicht daß Alec Kyle keinen Charakter gehabt hätte, aber Harry hatte Alecs Konturen allmählich den eigenen Stempel aufgedrückt. Und eine tiefe Müdigkeit lag auf diesem Gesicht. Zeichen von schwerem Leid.

»Harry, habe ich da gerade gehört, das Leben habe keinen Sinn mehr? Meinst du das wirklich?«

Harry sah ihn scharf an: »Wie lange hast du schon gelauscht?«

Clarke war brüskiert. »Ich habe dort an der Mauer gestanden, Harry. Ich habe dich nicht belauscht. Aber ... ich wollte dich nur nicht stören, das ist alles. Ich meine«, er nickte zum Fluß hinüber, »deine Mutter ist da, oder?«

Harry fühlte sich plötzlich in die Enge gedrängt. Er wich Clarkes Blick aus, dann sah er wieder zurück und nickte. Er hatte von diesem Mann nichts zu befürchten. »Ja«, sagte er, »sie ist hier. Ich habe mit meiner Mutter gesprochen.«

Instinktiv sah Clarke sich um: »Du hast mit deiner Mutter –?« Dann sah er noch einmal zum vorbeifließenden Fluß, und sein Gesichtsausdruck wandelte sich. Leise sagte er: »Natürlich, ich hatte das beinahe vergessen.«

»Ach ja?« Harry war leicht zu verärgern. »Willst du damit sagen, daß das nicht der Grund ist, weswegen du hier bist?« Dann entspannte er sich ein wenig. »Na gut, komm mit zum Haus zurück. Wir können beim Gehen reden.«

Als sie sich ihren Weg durch trockenes Gestrüpp und Unkraut bahnten, beobachtete Clarke unauffällig den Necroscopen. Nicht nur, daß Harry fahrig und unkonzentriert wirkte, auch seine Erscheinung schien ein wenig vernachlässigt. Er trug ein offenes

Hemd unter einem ausgebeulten grauen Pullover, dünne graue Hosen und zerkratzte Schuhe: die Kleidung von jemandem, der nicht auf sich achtet. »Du holst dir in der Kälte noch den Tod«, sagte Darcy mit ehrlicher Sorge im Tonfall. Der Leiter des E-Dezernats zwang sich zu einem Lächeln. »Hat dir das noch niemand gesagt? Wir haben bald November ...«

Sie gingen am Fluß entlang zu einem großen viktorianischen Haus, das hinter einer hohen Steinmauer dräute. Das Haus hatte einst Harrys Mutter gehört, dann seinem Stiefvater, und jetzt hatte Harry es geerbt. »Die Zeit ist nichts, worüber ich mir großartig Gedanken mache«, sagte er schließlich. »Wenn ich merke, daß es kälter wird, ziehe ich mich wärmer an.«

»Aber das ist auch nicht so wichtig, oder?« meinte Clarke. »Es scheint egal zu sein. Alles ist irgendwie egal. Das bedeutet, daß du sie noch nicht gefunden hast. Es tut mir leid, Harry.«

Jetzt war es an Harry, Clarke genauer in Augenschein zu nehmen.

Der Leiter des E-Dezernats hatte den Job erhalten, weil er nach Harry der überzeugendste Kandidat gewesen war. Clarkes Talent garantierte Beständigkeit. Er war das, was man einen Deflektor nannte, das Gegenteil von einem Unglücksraben. Er konnte durch ein Minenfeld spazieren und kam ohne einen Kratzer wieder heraus. Selbst wenn er auf eine Mine treten würde, wäre das mit Sicherheit ein Blindgänger. Sein Talent beschützte ihn, und das war alles, was es fertig brachte. Aber so war garantiert, daß er immer da sein würde, daß nichts und niemand ihn ausschalten konnte, so wie seine beiden Vorgänger ausgeschaltet worden waren. Auch Darcy Clarke würde natürlich eines Tages sterben – alle Menschen tun das – aber in seinem Fall würde das an Altersschwäche sein.

Doch wenn man Clarke so ansah und das nicht wußte ... niemand würde glauben, daß er irgendwo eine leitende Position inne hatte, und ganz bestimmt nicht bei der geheimsten Abteilung des Secret Service. Harry dachte: *Er ist wahrscheinlich die Idealbesetzung eines unscheinbaren Mannes.* Mittelgroß – ungefähr einsfünfundsiebzig oder -sechsundsiebzig –, mit mausbraunem Haar, leicht hängenden Schultern und einem kleinen Bauch, wenn auch nicht übergewichtig. Er wirkte einfach in jeder Hinsicht durchschnittlich. Und in fünf oder sechs Jahren würde er auch in mittleren Jahren sein!

Helle, haselnußbraune Augen erwiderten Harrys Blick aus einem Gesicht, das gern lachte, bei dem Harry aber den Verdacht hatte, daß es das schon seit einiger Zeit nicht mehr getan hatte. Trotz der Tatsache, daß Clarke mit Anorak und Schal sehr warm gekleidet war, sah er verfroren aus. Weniger körperlich als vielmehr emotional.

»Das ist richtig«, antwortete der Necroscope schließlich, »ich habe sie nicht gefunden, und das hat mir in gewisser Weise den Lebensmut genommen. Ist das der Grund, warum du hier bist, Darcy? Um meinem Leben einen neuen Sinn zu geben, eine neue Richtung?«

»So in etwa«, nickte Darcy. »Auf jeden Fall hoffe ich das.«

Sie schritten durch eine Tür in der Mauer in Harrys verwilderten Garten hinein, der düster im Schatten von Giebeln und Erkern lag, an denen die Farbe abblätterte und über der die hohen Fenster wie wütende Augen in einem hochmütigen Gesicht wirkten. Alles in diesem Garten wucherte seit Jahren wild vor sich hin. Gestrüpp und Brennesseln rankten hoch und überwucherten den Fußweg, so daß die beiden Männer aufpassen mußten, wo sie auf den kreuz und quer verlegten Platten hintraten, um zu einer Terrasse aus Kopfsteinpflaster zu gelangen, hinter der eine offene Glasschiebetür in Harrys Arbeitszimmer führte. Der Raum selbst wirkte düster, staubig, dräuend; Clarke bemerkte, wie er auf der Schwelle zögerte.

»Komm herein – aus freien Stücken, Darcy«, sagte Harry – und Clarke warf ihm einen scharfen Blick zu. Aber sein Talent verriet ihm, daß alles in Ordnung war; nichts trieb ihn von hier weg, er fühlte nicht den plötzlichen unwiderstehlichen Drang zu gehen. Der Necroscope lächelte, wenn auch nur schwach. »Ein Witz«, erklärte er. »Geschmäcker sind wie Gewohnheiten – wenn sie einem anderen Umfeld ausgesetzt werden, dann ändern sie sich.« Clarke trat ein. »Mein Heim«, sagte Harry als er ihm folgte und die Tür hinter sich zuzog. »Findest du nicht, daß es zu mir paßt?«

Clarke antwortete nicht, dachte aber: *Nun ja, dein Geschmack war nie sehr schrill. Zu deinem Talent paßt der Ort ganz bestimmt.*

Harry bot Clarke einen Rattanstuhl an und setzte sich selbst hinter einen klobigen Eichentisch, den das Alter geschwärzt hatte. Clarke blickte sich um und besah sich den Raum genauer. Der düstere Eindruck war nicht selbstverständlich; eigentlich war der Raum hell und luftig, aber Harry hatte Vorhänge angebracht, die das meiste Licht blockierten. Helligkeit gelangte nur noch durch die Glastür herein. Schließlich konnte sich Clarke nicht länger zurückhalten. »Ein bißchen wie eine Gruft, oder?«

Harry nickte zustimmend: »Es war das Zimmer meines Stiefvaters. Shukshin – der mörderische Saukerl! Er hat versucht, mich umzubringen, weißt du das? Er war ein Lokator, aber anders als die anderen. Er konnte ESPer nicht nur aufspüren, er verabscheute sie auch! Er haßte das Talent, mit dem er ihre Existenz wahrnehmen mußte! Der bloße Gedanke an sie ließ ihn schaudern, versetzte ihn in Rage. Dieser Haß trieb ihn schließlich dazu, meine Mutter zu töten und das gleiche mit mir zu versuchen.«

Clarke nickte: »Ich weiß soviel über dich, wie man nur wissen kann, Harry. Er ist im Fluß, nicht wahr? Shukshin? Wenn es dich quält, warum zum Teufel lebst du immer noch hier?«

Harry wandte einen Moment lang seinen Blick ab. »Ja, er ist im Fluß, wo ich sein sollte, wenn es nach ihm gegangen wäre. Auge um Auge. Aber es stört mich nicht, daß er hier gewohnt hat. Meine Mutter ist ja auch hier. Ich habe nur sehr wenige Feinde unter den Toten; alle anderen sind meine Freunde, und es sind sehr gute Freunde. Sie stellen keine Ansprüche, die Toten ...« Er verstummte einen Moment, dann fuhr er fort: »Auf jeden Fall hat Shukshin seinen Zweck erfüllt. Wenn er nicht gewesen wäre, wäre ich vielleicht nie zum E-Dezernat gegangen – und würde jetzt nicht hier mit dir reden. Ich wäre vielleicht immer noch irgendwo da draußen und würde die Geschichten niederschreiben, die mir tote Menschen erzählen.«

Genau wie Harrys Mutter spürte auch Clarke Harrys düstere Melancholie, und auch ihm gefiel das nicht. »Du schreibst also nicht mehr?«

»Es waren sowieso nicht meine Geschichten. Wie alles andere, waren sie ein Mittel zum Zweck. Nein, ich schreibe nicht mehr. Ich tue fast gar nichts mehr.« Abrupt wechselte er das Thema: »Ich liebe sie nicht, weißt du.«

»Häh?«

»Brenda.« Harry zuckte die Achseln. »Vielleicht liebe ich den kleinen Jungen, aber nicht seine Mutter. Weißt du, ich kann mich noch daran erinnern, wie es gewesen ist, als ich sie geliebt habe – natürlich tue ich das, weil ich mich nicht verändert habe – aber das körperliche Ich ist jetzt ein anderes. Ich habe eine völlig andere Körperchemie. Das hätte nie funktioniert mit Brenda und mir. Nein, das ist nicht mein Problem. Das ist es nicht, was mir zusetzt. Was mir zu schaffen macht, ist, daß ich nicht weiß, wo sie sind. Ich weiß, daß sie da sind, aber ich weiß nicht wo. Das wurmt mich so. Mein Leben war chaotisch genug damals, auch ohne ihr Verschwinden. Gerade in Bezug auf den Jungen. Weißt du – eine Zeit lang war ich ein Teil von ihm, diesem kleinen Kerl. Wenn auch unwissentlich – unwillentlich? – habe ich ihm vieles von dem beigebracht, was er weiß. Er hat es aus meinem Verstand geholt und ich würde gern wissen, was er daraus gemacht hat. Aber ich weiß eben auch, daß – selbst wenn sie nicht verschwunden wäre – die Sache zwischen ihr und mir schon lange vorbei wäre. Selbst wenn sie wieder ganz die Alte geworden wäre. Und manchmal glaube ich, es sei das Beste, daß sie verschwunden sind, nicht nur ihretwegen, sondern auch seinetwegen.«

All das war aus Harry herausgebrochen, strömte aus ihm wie ein Wasserfall.

Clarke war froh darüber; er glaubte, Harrys Mauer habe einen Riß bekommen: Vielleicht wurde Harry jetzt klar, daß es manchmal ganz gut war, auch mit den Lebenden zu reden. »Obwohl du nicht weißt, wohin sie gegangen sind, meinst du, daß es vielleicht das Beste für sie gewesen ist? Wieso das?«

Harry richtete sich im Sitzen auf, und als er jetzt sprach, klang seine Stimme wieder schroff: »Was für ein Leben hätte er denn beim E-Dezernat gehabt? Was würde er heute machen, mit neun Jahren? Klein Harry Keogh Junior: Necroscope und Erforscher des Möbius-Raumes?«

»Glaubst du das wirklich?« Clarke versuchte, seine Stimme unter Kontrolle zu halten. »Denkst du so von uns?« Vielleicht hatte Harry ja Recht, aber Clarke zog es vor, das anders zu sehen. »Er hätte das Leben führen können, das er führen wollte. Wir sind hier nicht im Ostblock, Harry. Er würde nicht dazu gezwungen, etwas zu tun. Haben wir versucht, dich an uns zu ketten? Hat man dich unter Druck gesetzt oder bedroht, damit du weiter für uns arbeitest? Du warst zweifellos unser größter Aktivposten, aber vor acht Jahren, als du gesagt hast, es reicht ... haben wir da versucht, deinen Ausstieg zu verhindern? Wir haben dich *gebeten* zu bleiben, das war alles. Niemand hat Druck auf dich ausgeübt.«

»Aber er wäre mit euch aufgewachsen.« Harry hatte sich dies schon viele, viele Male überlegt. »Ihr hättet ihm euren Stempel aufgedrückt. Vielleicht konnte er das vorhersehen und wollte seine Freiheit?«

Clarke schüttelte sich und versuchte damit die Stimmung zu vertreiben, mit der der andere ihn anzustecken begann. Er hatte einen Teil dessen erreicht, weswegen er hergekommen war: Er hatte Harry Keogh dazu gebracht, über seine Probleme zu reden. Jetzt mußte er ihn dazu bringen, über weit wichtigere Probleme zu reden und nachzudenken – vor allem über ein bestimmtes.

»Harry«, sagte er. Die Worte waren sorgsam gewählt. »Wir haben vor sechs Jahren damit aufgehört, nach Brenda und dem Kind zu suchen. Wir hätten das bereits früher getan, wenn wir nicht der Meinung gewesen wären, wir seien dir gegenüber verpflichtet – obwohl du deutlich gemacht hattest, daß du das uns gegenüber nicht so gesehen hast. Aber es war nun einmal so: Wir haben wirklich geglaubt, sie seien tot, andernfalls hätten wir sie gefunden. Aber das war damals, und jetzt ist jetzt und einige Dinge haben sich geändert ...«

Einige Dinge haben sich geändert? Langsam sickerten die Worte ein. Harry spürte, wie ihm das Blut aus den Wangen wich. Seine Nackenhaare stellten sich auf. Sie hatten *geglaubt,* sie seien tot, aber einige Dinge haben sich geändert. Harry beugte sich über den Tisch, rutschte fast zu Clarke hinüber und starrte ihn mit weit aufgerissenen Augen an. »Du hast etwas gefunden ... einen Anhaltspunkt?«

Clarke hob beschwichtigend die Hände, versuchte abzuwiegeln. »Wir sind vielleicht über einen ähnlichen Fall gestolpert – vielleicht ist es aber auch etwas ganz anderes. Wir haben keine Möglichkeit, das herauszufinden, Harry. Nur du kannst das.«

Harry runzelte die Brauen. Er wußte, daß er manipuliert wurde, daß er der Esel war, dem man die Karotte vor die Nase hielt, aber er ließ sich dadurch nicht verärgern. Wenn das E-Dezernat etwas hatte ... selbst eine Karotte war besser als das Unkraut, auf dem er bisher herumgekaut hatte. Er stand auf, ging um dem Tisch herum und begann, im Zimmer auf und ab zu tigern. Schließlich blieb er vor dem Stuhl stehen, auf dem Clarke saß. »Du solltest mir besser davon berichten«, sagte er. »Aber ich verspreche nichts.«

Clarke nickte: »Das tue ich auch nicht.« Er blickte sich unmutig im Raum um. »Könntest du etwas Licht und ein bißchen Luft hereinlassen? Das ist ja, als sitze man mitten im Nebel.«

Wieder verfinsterte sich Harrys Gesicht. War er Clarke so weit entgegengekommen, daß der ihn schon herumkommandierte? Aber er öffnete dennoch die Glastür und zog die Vorhänge zurück. Dann setzte er sich bedächtig wieder hinter seinen Tisch und sagte: »Erzähl!«

Es war jetzt heller im Zimmer und Clarke hatte das Gefühl, er könne wieder atmen. Er holte tief Luft, lehnte sich zurück und legte seine Hände auf die Knie: »Es gibt da einen Ort im Ural – Perchorsk. Da fing alles an ...«

SIEBTES KAPITEL

Darcy Clarke kam bis zu Pill – dem rätselhaften Objekt, das über der Hudson Bay abgeschossen worden war, wobei er aber noch nichts über dessen wahre Natur gesagt hatte – als Harry ihn unterbrach. »Das ist ja alles ganz interessant. Ich sehe aber nicht, was das alles mit mir, mit Brenda oder mit Harry Junior zu tun hat.«

»Das wirst du gleich. Weißt du, es ist keine Geschichte, von der ich dir nur einen Teil erzählen kann, oder nur die Einzelheiten, die dich interessieren. Wenn du nicht das ganze Bild überblickst, dann wird es noch schwieriger, den Rest zu verstehen. Und wenn du dich entschließen solltest, mitzumachen, dann mußt du alles wissen. Die Dinge, die für dich von besonderem Interesse sind, kommen später.«

Harry nickte: »Na gut – aber lass uns in die Küche gehen. Wie wäre es mit einem Kaffee? Leider nur Instant-Kaffee – für richtigen Kaffee fehlt mir die Geduld.«

»Kaffee wäre gut«, meinte Clarke. »Und keine Angst wegen des Instant-Kaffees. Nachdem ich seit Jahren die Brühe aus der Maschine im Hauptquartier trinke, schmeckt dagegen alles andere hervorragend.« Lächelnd folgte er Harry durch die düsteren Flure des alten Hauses. Auch wenn die Reaktion des Necroscopen bisher eher ablehnend war, konnte Clarke sehen, daß er langsam seine Scheu verlor.

In der Küche wartete Clarke, bis Harry den Kaffee an den großen Holztisch brachte und sich selbst setzte, dann fuhr er mit seiner Geschichte fort: »Wie ich schon sagte, wir haben dieses Ding über der Hudson Bay abgeschossen. Jetzt ...«

»Einen Moment«, unterbrach Harry. »Gut, ich akzeptiere, daß du die Geschichte auf deine Weise erzählen willst. Aber dann sollte ich auch ein paar nebensächliche Sachen wissen. Was hat euch zum Beispiel auf das Perchorsk Institut aufmerksam gemacht?»

»Eigentlich nur ein Zufall«, gab Clarke zu. »Wir werden nicht automatisch bei allen Operationen hinzugezogen. Wir sind immer noch eher der ›Stille Teilhaber‹, was die Sicherheit des Landes angeht. Nicht mehr als ein halbes Dutzend Herren in Whitehall – und natürlich eine Lady – wissen von unserer Existenz. Und dabei würden wir es auch gerne belassen. Das macht zwar immer wieder die Finanzierung problematisch – vor allem auch die Bewilligung neuer technischer Spielzeuge – aber wir kommen zurecht. Gimmicks und Geister, das war schon immer unser Motto. Wir sind eine Verbindung – wenn auch nur eine ganz kleine – zwischen der Avantgarde des technischen Fortschritts und dem sogenannten Übernatürlichen, und das wird wohl auch noch eine Zeit lang so bleiben.

Seit der Bodescu-Sache hat sich nicht viel getan. Unsere Talente werden häufig als Berater von der Polizei angefordert. Eigentlich verlassen die sich sogar immer mehr auf unsere Ergebnisse. Wir finden gestohlene Geldsummen, Kunstgegenstände, Waffenlager; wir haben sogar vor dem Attentat in Brighton gewarnt, und ein paar unserer Leute waren auf dem Weg dahin, als es geschah. Aber im großen und ganzen wirken wir immer noch im Verborgenen. Wir posaunen unsere Ergebnisse nicht überall herum, und im Gegenzug erfahren wir auch nicht alles. Selbst die Leute, die von uns wissen, können sich oft nicht vorstellen, daß computergestützte Wahrscheinlichkeitssimulationen Hand in Hand mit Prophetik funktionieren können. Wir haben schon viel erreicht, aber es ist nun mal so – Telepathie ist bei weitem nicht so zuverlässig wie das Telefon!«

»Nein?« Die Art, wie Harry sie praktizierte – mit den Toten – war äußerst präzise.

»Nicht, wenn die andere Seite weiß, daß man mithört.«

»Aber es läßt sich schwieriger abhören«, argumentierte Harry, und Clarke hörte die Schärfe in seinem Ton. »Wie seid ihr also ›zufällig‹ auf Perchorsk gestoßen?«

»Wir sind darauf aufmerksam geworden, weil unsere ›Genossen‹ in Perchorsk genau das verhindern wollten! Ich werde es erklären: Erinnerst du dich an Ken Layard?«

»Den Lokator? Natürlich erinnere ich mich an ihn.«

»Nun, die Sache ist ganz einfach. Ken überwachte die russische Militärpräsenz im Ural – heimliche Truppenbewegungen und so etwas – und stieß auf Widerstand. Es gab da konträre Psychokräfte, sowjetische ESPer, die den Ort bewußt mit mentalen Nebelschleiern überzogen.«

Jetzt zeigte sich Interesse in Harrys bleichem Gesicht, vor allem in den Augen, die deutlich aufleuchteten. Da hatten sich seine alten Freunde, die russischen ESPer, also wieder organisiert? Er nickte grimmig. »Das sowjetische E-Dezernat ist wieder im Geschäft?«

»Sieht so aus. Na ja, wir wissen schon seit geraumer Zeit von ihnen. Aber nach dem, was du da im Chateau Bronnitsy angerichtet hast, sind sie kein Risiko mehr eingegangen. Sie bleiben noch stärker im Hintergrund als wir! Heute haben sie zwei Zentralen: eine in Moskau, direkt neben den biotechnischen Versuchslaboratorien am Protze Prospekt, und die andere in Mogocha an der chinesischen Grenze, hauptsächlich, um ein wachsames Auge auf die ›Gelbe Gefahr‹ zu haben.«

»Und dann die in Perchorsk«, erinnerte Harry.

»Das ist nur eine kleine Gruppe, und die dient lediglich dazu, uns auf Abstand zu halten. Wenigstens soweit wir das beurteilen können. Aber was zum Teufel machten die Sowjets da, das mit solchen Sicherheitsmaßnahmen geschützt werden mußte? Nach Pill haben wir beschlossen, daß wir das besser in Erfahrung bringen sollten.

Die MI-Abteilungen schuldeten uns noch etwas. Wir erfuhren, daß sie im Begriff waren, einen ihrer Agenten – einen Mann namens Michael J. Simmons – da einzuschleusen, und so haben wir, na ja, wir haben uns irgendwie mitnehmen lassen.«

»Ihr habt ihn angezapft?« Harry hob eine Augenbraue. »Wie? Beziehungsweise eher: warum, wenn er doch sowieso zu uns gehört?«

»Ganz einfach, weil wir nicht wollten, daß er davon weiß.« Clarke schien überrascht, daß Harry nicht von selbst darauf gekommen war. »Wir konnten ja schlecht eine telepathische Verbindung oder etwas ähnliches zu ihm aufbauen, wenn da doch überall sowjetische ESPer herumwuseln? Nein, das war viel zu riskant, denn dann hätten ihn die ESPer dort sofort erwischt – also haben wir ihn gewissermaßen verwanzt. Und weil er davon keine Ahnung hatte, haben wir beschlossen, es seinen Vorgesetzten beim MI5 auch gar nicht erst zu sagen. Schließlich kann man nicht über etwas reden, was man nicht weiß, oder?«

Harry schnaubte abfällig. »Nein, natürlich nicht! Und schließlich, warum sollte die linke Hand wissen, was die rechte tut, oder?«

»Sie hätten uns sowieso nicht geglaubt.« Clarke tat Harrys Sarkasmus mit einem Achselzucken ab. »Die kennen nur eine Art von verwanzen. Sie hätten mit unserer Methode bestimmt nichts anfangen können. Wir haben uns etwas, das Simmons gehört, kurze Zeit ausgeliehen, das war alles. Das haben wir dann einem unserer neuen Leute, David Chung, gegeben, damit er damit arbeiten kann.«

»Ein Chinese?« Wieder die erhobene Augenbraue.

»Ja, ein Chinese, aber ein Cockney-Chinese. Geboren und aufgewachsen in London. Er ist ein Seher, und er ist verdammt gut. Also haben wir ein Kreuz genommen, das Simmons immer trägt, und haben ihm das gegeben. Simmons dachte, er habe es verlegt, und wir haben dafür gesorgt, daß er es wiedergefunden hat. In der Zwischenzeit hatte David Chung eine sympathetische Verbindung zu dem Kreuz aufgebaut, so daß er zu jeder Zeit ›weiß‹, wo es ist. Er kann dann sogar durch dieses Kreuz sehen wie durch eine Kristallkugel. Die Sache hat auch funktioniert – wenigstens eine Zeit lang.«

»Ach?« Harrys Interesse ließ wieder nach. Er hatte von Spionage nie sehr viel gehalten, und ESPionage war für ihn die übelste ihrer vielen Ausprägungen. Das war einer der vielen Gründe gewesen, warum er das E-Dezernat verlassen hatte. Für ihn waren ESPer, die ihre Talente zu so etwas gebrauchten, nichts anderes als Psycho-Voyeure. Andererseits wußte er auch, daß es besser war, wenn sie für das Gemeinwohl arbeiteten, als dagegen.

Was sein eigenes Talent anging: Das war etwas anderes. Die Toten hielten ihn nicht für einen Spanner, sondern für einen Freund, und als solchen respektierten sie ihn.

»Und wir haben noch etwas getan«, fuhr Clarke fort. »Wir haben seine Vorgesetzten davon überzeugt, daß er keine T-Kap haben sollte.«

»Keine was?« Harry rümpfte die Nase. »Das hört sich an wie eine obskure Verhütungsmethode.«

»Oh, Entschuldigung. Du warst nicht lange genug bei uns, um über solche Dinge Bescheid zu wissen, was? Eine T-Kapsel ist ein schneller Ausweg aus Schwierigkeiten. Ein Mann kann sich in einer Situation befinden, wo es besser ist, tot zu sein. Wenn er zum Beispiel gefoltert wird, oder wenn er weiß, daß die falsche – beziehungsweise die richtige – Antwort eine Menge guter Freunde auf die Abschußliste setzt. Simmons' Mission war diese Art von Job. Wir haben Schläfer hinter dem Eisernen Vorhang, wie du ja wohl weißt. Genauso wie die hier – dein Stiefvater war auch so einer. Nun, Simmons arbeitete mit der Unterstützung einer Gruppe von Schläfern, die dafür aktiviert worden sind. Wenn er gefangengenommen würde ... vielleicht würde er sie nicht in Gefahr bringen wollen. Die Entscheidung, diese Todeskapsel zu benutzen, läge natürlich ganz allein bei Simmons. Die Kapsel wird in einem Zahn versteckt, und man muß nichts weiter tun, als hart darauf beißen, und ...«

Harry verzog das Gesicht: »Als ob es der Toten noch nicht genug gäbe!«

Clarke merkte, daß er Harry verlor, daß diese Dinge ihn einfach nur anekelten.

Er redete hastig weiter: »Auf jeden Fall haben wir seine Vorgesetzten überzeugt, ihm eine getürkte T-Kapsel zu geben, eine Kapsel, die komplexe, aber harmlose Chemikalien enthält, die ihn schlimmstenfalls k.o. setzen.«

Harry war irritiert: »Warum hat er dann überhaupt eine Kapsel bekommen?«

»Ein Stimulus«, sagte Clarke. »Er wußte ja nicht, daß die Kapsel getürkt war. Sie würde ihn daran erinnern, sich in acht zu nehmen.«

»Gott, seid ihr Leute gestört!« Harry war ehrlich angewidert.

Und Clarke stimmte tatsächlich zu. Er nickte trübsinnig: »Du hast das Schlimmste noch nicht gehört. Wir haben ihnen erzählt, unsere Hellseher hätten ihm eine hohe Erfolgsquote bescheinigt; er würde mit den gewünschten Ergebnissen zurückkommen. Aber ...«

»Ja?« Harry runzelte die Stirn.

»Nun, tatsächlich hatte er gar keine Chance, wir wußten, er würde geschnappt werden.«

Harry sprang auf und schlug so heftig mit der Faust auf den Tisch, daß der Tisch hüpfte. »In diesem Fall war es niederträchtig, auch nur zuzulassen, daß sie ihn losschickten! Er würde geschnappt, würde unter Druck auspacken und die Leute ans Messer liefern, die ihn hineingeschmuggelt hatten, ganz zu schweigen von sich selbst. Was zum Teufel ist mit dem E-Dezernat in den letzten acht Jahren passiert? Ich bin mir verdammt sicher, daß zu seiner Zeit unter Sir Keenan Gormley so etwas nicht vorgekommen wäre.«

Clarke war leichenblaß. Sein einer Mundwinkel zuckte, aber er blieb sitzen. »Oh doch, er hätte das zugelassen. In diesem Fall hätte er das getan.« Clarke zwang sich zur Ruhe und sprach weiter: »Es ist auch gar nicht so schlimm, wie es sich anhört. Weißt du, Chung ist gut genug, um augenblicklich Bescheid zu wissen, wenn Simmons geschnappt wird. Und so war es auch: Er hat die Verhaftung mitbekommen, und in dem Moment, in dem er uns das sagte, hatten wir die Information schon weitergegeben. Soweit wir wissen, hat MI5 alle sowjetischen Kontakte von Simmons augenblicklich unterrichtet, und die hatten Zeit, sich vorzubereiten oder zu verschwinden.«

Harry setzte sich wieder, aber innerlich schäumte er immer noch. »Ich habe genug gehört. Ich verstehe, daß du dir da ein Loch geschaufelt hast und mich brauchst, um dir wieder herauszuhelfen. Nun, in dem Fall sollte der Rest dessen, was du mir zu erzählen hast, verdammt gut sein, sonst ... ehrlich, diese ganze Sache stinkt mir! Gut, rekapitulieren wir: Obwohl ihr wußtet, daß er geschnappt werden würde, habt ihr diesen Mann mit einer falschen Todeskapsel ausgestattet und ihn auf eine unmögliche Mission geschickt. Und dann ...«

»Halt«, sagte Clarke. »Du hast es immer noch nicht ganz begriffen. Von uns aus war das genau seine Aufgabe: Er sollte geschnappt werden! Wir wußten, daß ihm das so oder so passieren würde.« Seine Stimme war genauso kalt wie die von Harry, aber ohne dessen Wut.

»Ich sehe nicht, wie das die Sache besser machen sollte«, erklärte Harry nach kurzer Zeit. »Es macht es doch nur schlimmer. Und all das nur, um einen Mann in das Perchorsk Institut hineinzubekommen, damit euer Seher, dieser Chung, durch den Mann hindurch dort spionieren kann. Aber ... ist euch eigentlich nie der Gedanke gekommen, daß die sowjetischen ESPer Chung auf die Schliche kommen würden? Daß sie seine PSI-Fähigkeiten spüren mußten?«

»Auf Dauer mußte das so kommen, ja.« Clarke nickte. »Obwohl Chung sein Talent immer nur ganz kurze Zeit einsetzte, würde er schließlich enttarnt werden – wir glauben sogar, daß das bereits geschehen ist. Aber wir hatten gehofft, daß wir bis dahin wissen würden, was im Perchorsk Institut vor sich geht. Wir brauchten nur einen Beweis – so oder so – für das, was die Sowjets da unten produzieren – oder züchten.«

»Züchten ...?« Harrys Mund formte langsam ein O. Und sein Tonfall wurde viel gedämpfter. »Was zum Teufel willst du mir damit sagen, Darcy?«

»Das Ding, das da über der Hudson Bay abgeschossen worden ist«, Darcy sprach sehr langsam und sehr betont, »war eine teuflische Kreatur, Harry. Kannst du dir das nicht denken?«

Harry fühlte einen eisigen Hauch. »Du sagte es mir lieber.«

Clarke nickte und stand auf. Er stützte seine Knöchel auf die Tischplatte und lehnte sich vor. »Du erinnerst dich an das Ding, das Yulian Bodescu in seinem Keller geschaffen und aufgezogen hat? Nun, so eines war es, Harry, aber so riesig, daß Bodescus Monster dagegen ein Zwerg war! Und jetzt weißt du, warum wir dich brauchen. Denn es war der verdammt noch mal größte und widerwärtigste Vampir, den man sich nur vorstellen kann – und er kam direkt aus Perchorsk!«

Nach einem langen, sehr langen Moment sagte Harry: »Wenn das ein Witz sein soll, dann ist der absolut nicht komisch.«

»Das ist kein Witz, Harry«, versicherte Clarke. »Bei uns im Hauptquartier haben wir einen Film von dem Ding, der von einem AWACS aufgenommen worden ist, bevor die Kampfflieger das Monstrum erwischt und verbrannt haben. Wenn das kein Vampir war – oder wenigstens etwas aus dem Stoff, aus dem die Vampire sind – dann habe ich den falschen Job. Aber unsere Leute, die die Aktion gegen Harkley House, Bodescus Haus in Devon, überlebt haben, sind da sehr viel qualifizierter als ich; und sie sagen alle, daß das Ding da genauso war wie dies hier, und für mich bedeutet das, daß diese Kreatur nur eines sein kann.«

»Du glaubst, daß die Russen mit Vampiren experimentieren, daß sie diese Bestien als Waffen einsetzen – sie maßschneidern – wollen?« Es war offenkundig, daß der Necroscope das für unvorstellbar hielt.

»Hatte dieser Irre, Gerenko, nicht genau das vor, bevor du – nun, dich seiner angenommen hast?« Clarke ließ sich davon nicht abbringen.

Harry schüttelte den Kopf. »Ich habe Gerenko nicht getötet. Faethor Ferenczy hat das für mich getan.« Er strich sich über das Kinn, sah Clarke noch einmal scharf an und meinte: »Aber ich verstehe, worauf du hinauswillst.«

Harry senkte den Kopf, verschränkte die Hände hinter dem Rücken und ging langsam durch das düstere Haus in sein Arbeitszimmer. Clarke folgte ihm, wobei er sich zusammenriß, um seine Ungeduld nicht zu zeigen. Aber die Zeit war knapp, und er brauchte Keoghs Hilfe dringend.

Draußen war es nachmittag, und die spätherbstlichen Sonnenstrahlen flimmerten durch die Fenster herein und offenbarten die dünne Staubschicht, die überall lag. Harry schien das zum ersten Mal zu sehen; er fuhr mit dem Finger über das staubige Regal, dann hielt er inne und besah sich die Ansammlung von dunklen Flusen auf seiner Fingerspitze. Schließlich drehte er sich zu Clarke um: »Es gab also doch keinen ›vergleichbaren Fall‹. Das hast du nur erzählt, um sicherzugehen, daß ich dir zuhöre, oder?«

Clarke schüttelte den Kopf: »Harry, wenn es eine Person auf der ganzen Welt gibt, die ich nie belügen würde, dann bist du das. Weil ich weiß, daß du das nicht ausstehen kannst, und weil wir dich brauchen. Es gibt wirklich eine Parallele. Weißt du, ich habe mich daran erinnert, was du vor acht Jahren gesagt hast, als deine Frau und dein Kind verschwunden sind – bevor du das E-Dezernat verlassen hast. Du hast gesagt: *Sie sind nicht tot, und sie sind nicht hier – wo also sind sie?* Ich habe mich daran erinnert, weil anscheinend das Gleiche wieder passiert ist.«

»Es ist jemand verschwunden? Auf die gleiche Weise?« Harry überlegte und tippte dann: »Simmons?«

»Ja, Jazz Simmons ist auf die gleiche Weise verschwunden«, bestätigte Clarke. »Sie haben ihn vor ungefähr einem Monat geschnappt und in das Institut gebracht. Danach war der Kontakt schwierig, beinahe unmöglich. David Chung meint, daß liege zum einen daran, daß der Komplex auf dem Grund einer Schlucht liegt und einfach die Materiemasse drum herum die telepathischen Wellen abblockt, und daß er zum zweiten durch einen dicken Bleimantel abgeschirmt wird, der den gleichen Effekt hat, und drittens und vor allem, weil die dort stationierten sowjetischen ESPer den Komplex vor telepathischen Abtastversuchen abschirmen. Trotzdem kam Chung zu einigen Zeiten durch. Was er da gesehen hat, ist nicht gerade ermutigend.«

»Weiter«, sagte Harry, dessen Interesse schon wieder erlahmte.

»Nun«, fuhr Clarke fort, machte dann aber sofort eine Pause und seufzte. »Das ist jetzt nicht einfach, Harry. Ich meine, selbst Chung hatte Schwierigkeiten, es zu erklären, und ich gebe nur das wieder, was er gesagt hat. Aber ... er hat etwas in einem Glaskasten gesehen. Er sagt, er kann es nicht besser beschreiben, weil dieses Etwas immer wieder anders zu sein scheint. Nein, frag mich besser nicht«, er hielt die Hände abwehrend hoch und schüttelte den Kopf. »Ich persönlich habe nicht die geringste Ahnung. Oder falls ich eine Ahnung habe, lege ich keinen großen Wert darauf, sie in Worte zu fassen.«

»Na los«, forderte ihn Harry auf. »Sprich es aus.«

»Das brauche ich nicht«, wehrte Clarke ab. »Ich bin mir sicher, du weißt, was ich meine ...«

Harry nickte: »Okay. Noch etwas?«

»Nur das: Chung sagt, er habe Furcht gespürt. Der ganze Komplex hat offenbar schreckliche Angst. Da herrscht fast Panik. Jeder hat fürchterliche Angst vor irgend etwas, sagt Chung. Aber auch da wissen wir nicht, wovor. So standen die Dinge bis vor drei Tagen. Seitdem ...«

»Ja?«

»Kein Kontakt mehr! Und nicht nur russisches ›Störfeuer‹ – da ist wirklich kein Kontakt! Simmons' Kreuz, und wahrscheinlich auch Simmons selbst sind – nun, sind nicht mehr da. Sie sind einfach nirgendwo.«

»Tot?« Harrys Miene war bitter.

Aber Clarke schüttelte den Kopf. »Nein«, sagte er, »und das meinte ich, als ich sagte, es handle sich um einen ähnlichen Fall. Es ist genauso wie bei deiner Frau und deinem Kind. Chung kann es selbst nicht erklären. Er sagt, er *weiß*, daß das Kreuz noch existiert – daß es nicht zerbrochen oder eingeschmolzen oder sonstwie zerstört worden ist – und er glaubt, daß Simmons es immer noch hat. Aber er weiß nicht, wo es ist. Es überfordert sein Talent, es zu finden. Und er ist wütend darüber und frustriert. Wahrscheinlich sind seine Gefühle so ähnlich wie deine: Er steht vor etwas, das er nicht versteht und nicht entschlüsseln kann, und er gibt sich selbst die Schuld dafür. Er hat sogar angefangen, an seinem seherischen Talent zu zweifeln, aber wir haben das überprüft. Mit seinen Fähigkeiten ist alles in Ordnung.«

Harry nickte: »Ich kann mir vorstellen, wie er sich fühlt.

Genauso ist es. Er weiß, daß das Kreuz noch existiert und daß Simmons noch am Leben ist, aber er weiß nicht, wo sich beides befindet.«

»Ja«, Clarke nickte. »Aber er weiß, wo das Kreuz nicht ist. Es ist nicht auf dieser Erde! Das meint David Chung jedenfalls.«

Harrys Stirn legte sich in Falten. Er drehte Clarke den Rücken zu und starrte aus dem Fenster. »Natürlich kann ich schnell herausfinden, ob Simmons tot ist oder nicht. Ich brauche nur die Toten zu fragen. Wenn ein Engländer namens Michael ›Jazz‹ Simmons vor kurzem im Ural gestorben ist, dann können sie mir das in ... na ja, sofort ... sagen! Es ist nicht, daß ich die Fähigkeiten dieses David Chung anzweifle – nicht wenn du sagst, daß er gut ist – aber ich möchte sicher gehen.«

»Dann los, frage sie«, sagte Clarke. Aber er konnte bei der Gelassenheit, mit der der Necroscope davon redete, einen Schauder nicht unterdrücken.

Harry drehte sich zu seinem Besucher um und lächelte auf eine seltsame, schmallippige Art. Seine braunen Augen waren dunkel und strahlend geworden, aber noch während Clarke zusah, hellte sich die Farbe wieder auf. »Ich habe sie gerade gefragt«, sagte er. »Sie lassen es mich wissen, sobald sie die Antwort haben ...«

Es dauerte nicht lang, bis die Antwort kam; gerade mal eine halbe Stunde, während der Harry tief in Gedanken versunken – Clarke fragte sich, in wessen außer den eigenen – da saß und der Mann vom E-Dezernat im Arbeitszimmer hin und her tigerte. Das Sonnenlicht wurde schwächer und eine alte Uhr tickte verstaubt in der Ecke vor sich hin. Dann –

»Er ist nicht unter den Toten!« Harry hauchte die Worte wie einen Seufzer.

Clarke antwortete nicht. Er hielt den Atem an und spitzte die Ohren, um zu hören, wie die Toten mit Harry sprachen – wobei er sich gleichzeitig davor fürchtete, sie zu hören – aber da war nichts.

Es gab nichts zu hören oder zu sehen oder zu fühlen, aber

Clarke wußte, Harry Keogh hatte tatsächlich seine Botschaft von jenseits des Grabes empfangen. Er wartete.

Harry erhob sich, ging um den Schreibtisch herum und blieb dicht vor Clarke stehen.

»Nun, es sieht so aus, als sei ich angeworben worden – zum zweiten Mal.«

»Zum zweiten Mal?« Clarke redete, damit die Erleichterung nicht so offenkundig wurde, die seiner Meinung nach deutlich spürbar aus jeder seiner Poren strömen mußte.

Harry nickte: »Beim letzten Mal kam Sir Keenan Gormley, um mich zur Mitarbeit zu überreden. Und jetzt bist du es. Vielleicht solltest du dir das als Warnung dienen lassen.«

Clarke wußte, worauf er anspielte. Gormley war von Boris Dragosani ausgeweidet worden, dem sowjetischen Nekromanten. Dragosani hatte ihn aufgeschlitzt, um ihm seine Geheimnisse zu entreißen. »Nein«, Clarke schüttelte den Kopf. »Das kann mir nicht passieren. Nicht mir. Mein Talent ist ein Feigling, der sich Selbsterhaltung nennt: Beim ersten Anzeichen von Gefahr und egal, ob ich will oder nicht, nehmen meine Beine die Sache in die Hand und tragen mich in Windeseile davon. Nichtsdestotrotz würde ich das Risiko eingehen.«

»Tatsächlich?« Da steckte etwas hinter der Frage.

»Was hast du vor?«

»Ich habe noch Sachen im E-Dezernat«, sagte Harry. »Kleidung, Rasierzeug, das eine oder andere. Sind die noch da?«

Clarke nickte: »Dein Büro ist nicht angerührt worden, außer zum Putzen. Wir haben immer gehofft, daß du zurückkommen würdest.«

»Dann brauche ich nichts von hier mitnehmen. Ich bin fertig, wenn du es bist.« Er schloß die Verandatür.

Clarke stand auf. »Ich habe hier zwei Eisenbahnfahrkarten, Edinburgh – London. Ich bin vom Bahnhof mit einem Taxi gekommen, wir müssen also ...« Er hielt inne. Harry bewegte sich nicht und sein Lächeln war ein wenig hintersinnig, vielleicht auch spitzbübisch. »Äh – stimmt etwas nicht?«

»Du hast gesagt, du seist bereit, Risiken einzugehen«, erinnerte ihn Harry.

»Ja, aber ... von welchen Risiken reden wir hier?«

»Es ist schon lange her, seit ich irgendwohin mit einem Auto, Zug oder Bus gefahren bin, Darcy. Dabei verschwendet man viel Zeit. Die kürzeste Entfernung zwischen zwei Punkten ist eine Gleichung – eine Möbius-Gleichung.«

Clarke machte große Augen und sein Luftschnappen war unüberhörbar. »Heh, warte mal, Harry, ich ...«

»Du bist hierher gekommen, weil du gewußt hast, ich könnte nicht nein sagen, nachdem du mir deine Geschichte erzählt hast«, unterbrach ihn Harry. »Das war mit keinerlei Risiko für dich oder das Dezernat verbunden; dein Talent sorgt für dich, das Dezernat kann auf sich selbst aufpassen – das ganze Risiko liegt allein bei Harry Keogh. Ich bin mir sicher, daß es da, wo ich hingehe – wo auch immer das sein mag – bestimmt so manchen Augenblick geben wird, wo ich mir wünschen werde, ich hätte mich nicht von dir überreden lassen. Du mußt also zugeben, ich gehe wirklich ein Risiko ein. Ich vertraue auf dich, auf mein Glück und auf meine Fähigkeiten. Und wie sieht es mit dir aus, Darcy? Wo ist dein Vertrauen?«

»Du willst mich nach London bringen ... auf deine Art?«

»Über das Möbiusband, ja, richtig. Durch das Möbius-Kontinuum.«

»Das ist bescheuert, Harry.«

Er war immer noch nicht davon überzeugt, daß der andere das wirklich so meinte. Der Gedanke an das Möbius-Kontinuum faszinierte ihn, aber er erschreckte ihn auch. »Es ist, als würde man ein verängstigtes Kind zu einer Achterbahnfahrt zwingen. Als ob man es mit einem Angebot dazu überreden würde, das es nicht abschlagen kann.«

»Es ist schlimmer als das«, verriet ihm Harry. »Das Kind leidet auch an Höhenangst.«

»Ich habe keine ...«

»Doch, du wirst«, versprach Harry.

Clarke blinzelte heftig. »Ist das gefahrlos? Ich meine, ich habe keine Ahnung, wie du das machst.«

Harry zuckte mit den Achseln. »Wenn es gefährlich ist, wird dein Talent einschreiten, oder? Weißt du, für jemanden, der so beschützt ist wie du, hast du nicht viel Vertrauen in dich selbst.«

»Das ist ein Widerspruch in mir«, gab Clarke zu. »Es stimmt, ich drehe immer noch alle Sicherungen heraus, bevor ich eine Glühbirne wechsle! Gut, du hast gewonnen. Wie geht es jetzt weiter? Und ... weißt du auch genau, wie wir da hinkommen? Direkt ins Hauptquartier?« Clarke geriet in Panik. »Und woher weißt du eigentlich, daß du es immer noch kannst? Weißt du, ich ...«

»Es ist wie Fahrradfahren«, Harry grinste – ein offenes Grinsen, wie Clarke erleichtert feststellte. »Oder wie Schwimmen. Sobald man es einmal kann, kann man es immer. Der einzige Unterschied liegt darin, daß es sich so gut wie gar nicht erklären läßt. Ich hatte den besten Lehrer der Welt – Möbius selbst – und trotzdem habe ich lange, lange Zeit dafür gebraucht. Ich werde also gar nicht versuchen, das zu erklären. Möbiustore sind überall, aber man muß sie einen Augenblick lang stabilisieren, bevor man sie benutzen kann. Ich kenne die Gleichungen, die sie stabilisieren. Und dann ... ich werde dich durch eines hindurchschieben.«

Clarke zuckte zurück, doch das war nur eine instinktive Reaktion. Es war nicht sein Talent, das sich bemerkbar machte.

»Darf ich bitten?« Harry bot ihm den Arm an, wie einem Tanzpartner.

»Was?« Clarke wirkte wie ein gehetztes Tier auf der Suche nach einem Fluchtweg.

»Hier.« Harry versuchte ihn zu beruhigen, »nimm meine Hand. Ja, genau so. Und jetzt leg mir den Arm um die Taille. Siehst du, es ist ganz einfach.«

Sie begannen einen Walzer, Clarke machte winzige Tanzschritte in dem kleinen Arbeitszimmer. Harry ließ ihn führen und beschwor flackernde Möbius-Symbole vor seinem inneren Auge hoch. »Eins-zwei-drei – eins-zwei-drei-« Er beschwor eine Tür herauf und sagte: »Kommen Sie oft hierher?« Er hatte schon lange keinen Witz mehr versucht. Clarke dachte, es sei eine gute Idee, wenn er im gleichen Tonfall reagierte: »Nur zur Paarungs ...«, begann seine atemlose Antwort.

Und Harry tanzte sie beide durch ein ansonsten unsichtbares Möbius-Tor.

»... zeit!« keuchte Clarke. Und dann: »Oh, Gott!«

Hinter dem metaphysischen Möbius-Tor war die Dunkelheit: die urtümliche Dunkelheit, die schon vor dem Beginn des Universums existierte. Es war nicht einmal eine andere Ebene der Existenz, es war ein Ort der absoluten Negation, denn hier existierte nichts. Jedenfalls nicht unter normalen Bedingungen. Wenn es einen Ort gab, wo es wirklich finster war, dann war das hier. Dies konnte gut der Ort sein, an dem ein Gott sein *Es werde Licht!* gesprochen und damit das physikalische Universum vom metaphysischen Nichts getrennt hatte. Denn das Möbius-Kontinuum war wüst und leer.

Wenn man sagen würde, daß Clarke geschockt war, dann würde das seinen Gefühlen bei weitem nicht gerecht werden; so, wie er sich jetzt fühlte, war das beinahe eine ganz neue Emotion, in Einklang mit einer gänzlich neuen Erfahrung. Selbst Harry Keogh hatte sich nicht so gefühlt, als er zum ersten Mal in das Möbius-Kontinuum vorgedrungen war, denn er hatte die Natur des Raumes instinktiv erfaßt, hatte sie verstanden und manipuliert, während Clarke einfach nur hineingestoßen worden war.

Es gab keine Luft, aber es gab auch keine Zeit, so daß Clarke nicht atmen mußte. Und weil da keine Zeit war, war da auch kein Raum; es gab einen Mangel an diesen beiden notwendigen Bestandteilen der Materie, aber Clarke wurde nicht zerrissen und in die Winde verteilt, da es keine Winde gab und nichts, wohin er fliegen konnte.

Er hätte schreien mögen und das wohl auch getan, wenn er nicht Harry Keoghs Hand gehalten hätte, die seinen einzigen Anker an die Vernunft und das Sein und die Menschheit bildete. Er konnte Harry nicht sehen, denn es gab kein Licht, aber er konnte den Druck seiner Hand fühlen, und für den Augenblick war das alles, was er spürte in diesem ehrfurchtgebietenden Nichts-und-doch-Alles-Raum.

Und dennoch, vielleicht weil er selbst auch eine bizarre paranormale Fähigkeit besaß, fehlte Clarke nicht jegliches Gefühl für diesen Ort. Er wußte, daß der Ort real war, denn Harry bediente sich seiner, und weil er in ihm war; und er wußte, daß er zumindest diesmal keine Angst davor haben mußte, denn sein Talent hatte nicht verhindert, daß er hierher kam. Und so, trotz der Verwirrung durch seine latente Panik, war er in der Lage, seine Gefühle zu analysieren, oder zumindest über sie nachzudenken.

Da der Ort keinen Raum hatte, war er buchstäblich nirgendwo; aber da er genausogut keine Zeit hatte, war er überall und immer. Es war sowohl das Zentrum wie auch der Rand, das Innen und das Außen. Von hier aus konnte man überall hin gehen, wenn man den Weg kannte – oder man konnte auf ewig nach nirgendwo gehen, was Clarkes Schicksal wäre, wenn Harry Keogh ihn hier im Stich ließe. Hier gestrandet zu sein, würde bedeuten, in alle Ewigkeit gestrandet zu sein, denn in diesem zeitlosen, raumlosen Nicht-Territorium alterte oder veränderte sich nie etwas außer durch den Willen; und den gab es hier nicht, wenn er nicht durch jemanden hereingebracht wurde, der sich hierher verirrte, oder durch jemanden, der hierher kam und wußte, wie man den Raum manipulieren konnte – jemanden wie Harry Keogh. Harry war nur ein Mensch, aber es war erstaunlich, was er alles mit Hilfe des Möbius-Kontinuums bewirken konnte. Wie würde das nur sein, wenn ein Supermann – oder ein Gott – hierher gelangen würde?

Wieder dachte Clarke an *den Gott* der Legenden, der eine ›Große Veränderung‹ aus der formlosen Leere geschaffen hatte und durch seinen Willen ein Universum entstehen ließ. Und noch ein Gedanke kam Clarke: *Harry, wir sollten nicht hier sein. Das ist kein Ort für uns ...* Seine unausgesprochenen Worte hallten wie Gongschläge in seinem Hirn, ohrenbetäubend laut! Offenbar auch für Harry.

Ganz ruhig, sagte der Necroscope. *Es gibt keinen Grund, hier zu schreien.*

Natürlich nicht, denn in der Abwesenheit alles anderen hatten sogar die Gedanken eine unglaubliche Masse. *Wir sind nicht dafür bestimmt, hier zu sein,* wiederholte Clarke. *Und Harry, ich habe furchtbare Angst. Um Himmels willen, laß mich nur nicht los.*

Natürlich nicht, kam die Antwort. *Und es gibt keinen Grund, Angst zu haben.* Harrys mentale Stimme war gelassen. *Aber ich kann spüren und nachvollziehen, wie es für dich sein muß. Doch kannst du auch fühlen, wie wunderbar das alles ist? Bewegt es dich nicht bis ins Innerste deiner Seele?*

Und während seine Panik nachließ, mußte Clarke zugeben, daß es das tatsächlich tat. Langsam ließ die Anspannung nach und er begann sich zu beruhigen; einen Augenblick später glaubte er, immaterielle Kräfte zu fühlen, die auf ihn eindrangen.

Ich fühle ... einen Sog, wie einen Tidenstrom, sagte er.

Das ist kein Sog, das ist ein Schub, verbesserte Harry ihn. *Das Möbius-Kontinuum will uns nicht. Wir sind wie Sandkörner in seinen körperlosen Augen. Es würde uns hinausstoßen, wenn es das könnte, aber dazu sind wir nicht lange genug da. Wenn wir lange genug hier blieben, würde es versuchen, uns abzustoßen – oder vielleicht auch uns zu vereinnahmen! Es gibt Milliarden von Toren, durch die es uns hinauskatapultieren kann; ich befürchte, jedes davon könnte für uns tödlich sein, auf die eine oder andere Weise. Oder vielleicht würden wir einfach integriert, angepaßt – was an diesem Ort heißt, daß man ausradiert wird! Ich habe schon vor langer Zeit entdeckt, daß man entweder das Möbius-Kontinuum meistert, oder man wird von ihm gemeistert! Das würde natürlich bedeuten, daß wir lange, sehr lange Zeit hier still stehen würden – auf ewig, in normalen Begriffen.*

Harrys Erklärung verminderte Clarkes Nervosität nicht gerade. *Wie lange bleiben wir hier?* wollte er wissen. *Verdammt, wie weit sind wir schon gekommen?*

Eine Minute oder einen Kilometer. Das ist die Antwort auf beide deiner Fragen. Ein Lichtjahr oder eine Sekunde. Ist ja gut, es tut mir leid, wir werden nicht lange hier bleiben. Aber wenn ich hier bin, haben für mich solche Fragen kaum eine Bedeutung. Dies ist ein ganz anderes Kontinuum; die alten Konstanten gelten hier nicht. Dieser Ort ist die DNA von Zeit und Raum, das Grundgefüge der physikalischen Realität. Aber ... das ist nicht einfach, Darcy. Ich habe viel ›Zeit‹ gehabt, um darüber nachzudenken, und trotzdem habe ich nicht alle Antworten. Alle? Hach! Ich habe nur eine Hand voll! Aber die Dinge, die ich hier tun kann, die mache ich gut. Und jetzt will ich dir etwas zeigen.

Halt mal! sagte Clarke. *Das ist mir gerade erst aufgefallen: Wir reden hier auf telepathischem Weg miteinander. So fühlen sich also die Telepathen bei uns im Hauptquartier.*

Nicht ganz. Selbst die Besten von denen sind bei weitem nicht so gut wie das hier. Im Möbius-Kontinuum haben Gedanken Masse, ein Gewicht. Das liegt daran, daß sie wirklich physikalische Dinge an einem materielosen Ort sind. Stell dir einen winzigen Meteoriten im Weltall vor – der kann ein Loch in die Außenhaut einer Raumsonde schlagen. Es gibt da so etwas wie eine Parallele. Wenn du hier einen Gedanken hervorbringst, dann breitet der sich unendlich aus, so wie sich Licht und Materie in unserem Universum unendlich ausbreiten. Ein Stern wird geboren, und wir sehen ihn Milliarden von Jahren später aufblinken, weil das Licht von ihm bis zu uns so lange gebraucht hat. So geht es hier mit den Gedanken: Lange nachdem wir wieder weg sind, werden unsere Gedanken hier noch existieren. Aber bis zu einem gewissen Punkt hast du recht – ich meine, mit der Telepathie. Vielleicht besitzen Telepathen eine Möglichkeit – ein mentale Fähigkeit, die sie selbst nicht verstehen – das Möbius-Kontinuum anzuzapfen! Harry kicherte. *Das ist doch mal ein Gedanke! Aber wenn das der Fall ist, was ist dann mit Sehern? Was ist mit den Hellsehern?*

Clarke verstand für den Moment nicht, worauf er hinauswollte: *Es tut mir leid, aber ...?*

Nun, wenn die Telepathen – wenn auch unwissentlich – das Möbius-Kontinuum benutzen, was ist dann mit den Hellsehern? Zapfen die auch das Möbius-Kontinuum an, um in die Zukunft zu sehen?

Clarke hatte es jetzt begriffen. *Sicher. Das hatte ich vergessen. Du kannst in die Zukunft sehen, nicht wahr?*

So etwas Ähnliches. Um es genau zu sagen, ich kann in die Zukunft gehen. Zu meinen außerkörperlichen Zeiten konnte ich mich sogar in der Zukunft oder der Vergangenheit manifestieren, aber jetzt, wo ich wieder einen Körper haben, kann ich das nicht mehr – zur Zeit jedenfalls nicht. Aber ich kann immer noch vergangenen und zukünftigen Zeitströmen folgen, solange ich im Möbius-Kontinuum bleibe. Und ich sehe, du hast es erraten: Ja, das wollte ich dir zeigen – die Zukunft, und die Vergangenheit.

Harry, ich weiß nicht, ob ich dazu bereit bin, ich –

Wir gehen nicht wirklich dorthin, beschwichtigte Harry. *Wir werfen nur einen Blick darauf, das ist alles.* Und bevor Clarke noch protestieren konnte, öffnete er ein Tor in eine zukünftige Zeit.

Clarke stand mit Harry auf der Schwelle der Tür in die Zukunft, und die Ehrfurcht und die Faszination vor dem, was er da sah, lähmte fast seinen Verstand. Er stand vor einem Chaos aus Millionen – nein, Milliarden – von Linien aus leuchtend blauem Licht, das auf einen ansonsten undurchdringlichen Hintergrund von schwarzem Samt geätzt war. Es war wie ein unglaublicher Meteoritenschauer, und all die Meteoriten strömten von ihm weg in die unergründlichen Tiefen des Raumes. Aber anders als bei den Meteoriten verblaßten hier ihre Spuren nicht, sondern hoben sich grell gegen den Himmel ab – beziehungsweise gegen die Zeit. Und das erstaunlichste daran war, daß einer von den verschlungenen, gewundenen Strahlen blauen Lichtes aus ihm herausströmte, sich von ihm weg oder aus ihm heraus erstreckte und in die Zukunft verlief. Neben Clarke brachte Harry ein weiteres blaues Band hervor. Es stieß aus ihm heraus und schoß auf seinem eigenen Neonkurs hinaus in die Zukunft.

Was ist das? Clarkes Frage war ein Flüstern im metaphysischen Möbiusäther.

Auch Harry war ergriffen von diesem Anblick. *Die Lebensfäden der Menschheit,* erklärte er. *Das ist die gesamte Menschheit – von denen diese beiden Fäden hier, deine und meiner, nur den allergeringsten Teil ausmachen. Dieser hier in mir war ursprünglich der von Alec Kyle, aber zum Schluß war er sehr schwach geworden und schon fast verloschen. Aber jetzt – ist er einer der hellsten!* Und plötzlich stellte Clarke fest, daß er gar keine Angst mehr hatte. Selbst nicht als Harry sagte: *Du brauchst nur durch dieses Tor zu gehen und du könntest deinem Lebensfaden bis zu seinem Ende folgen. Ich kann das und kann auch zurückkehren – ich habe das sogar schon getan – aber nicht bis ganz zum Ende. Das ist etwas, was ich gar nicht wissen will. Ich ziehe es vor, zu glauben, es gebe kein Ende und der Mensch würde auf ewig weiterleben.* Er schloß das Tor und öffnete ein anderes. Und diesmal brauchte er nichts zu erklären.

Es war die Tür in die Vergangenheit, zum Beginn des menschlichen Lebens auf der Erde. Die Myriaden von blauen Lebensfäden waren hier so wie hinter der anderen Tür; aber diesmal, statt sich in die Ferne zu erstrecken, zogen sie sich zusammen und verengten sich zu einem weit entfernten blauen Ursprung.

Bevor Harry auch diese Tür schließen konnte, hatte Clarke sich diese Szenerie ins Gedächtnis gebrannt. Selbst wenn von da an sein Leben nur noch aus öder Langeweile bestehen sollte, so war dieses Abenteuer im Möbius-Kontinuum doch etwas, an das er sich bis zu seinem Todestag erinnern wollte. Aber schließlich wurde die Tür in die Vergangenheit geschlossen, es gab eine plötzliche, schnelle Bewegung und –

Wir sind zu Hause! sagte Harry ...

ACHTES KAPITEL

Ein viertes und letztes Tor war aufgestoßen worden, und Clarke fühlte, wie er hindurchgeschoben wurde. Aber das plötzliche Gefühl der Beschleunigung hatte ihn überrascht und aus dem Gleichgewicht gebracht, und ihm war immer noch schwindelig. *Harry?* Der Gedanke zitterte wie ein Blatt in der substanzlosen Leere des Möbius-Kontinuums. »Harry?«

Bei diesem zweiten Mal war seine Stimme hörbar, nicht nur seine Gedanken. Er stand mit Harry Keogh in seinem Büro im Hauptquartier des E-Dezernats in London. Er stand einen Moment lang da, dann stolperte er und wankte.

Die reale, physikalische Welt – die Welt mit Schwerkraft, Licht, menschlichen Empfindungen und Geräuschen, vor allem Geräuschen – stürzte schwer auf Clarkes unvorbereitetes Wesen ein.

Die meisten Angestellten hatten bereits Feierabend und viele waren schon gegangen, aber der diensthabende Beamte und ein paar andere waren noch da. Und natürlich war zu allen Zeiten die Alarmanlage in Betrieb. Sirenen schalteten sich im gesamten obersten Stockwerk ein, sobald Clarke und Harry auftauchten, zuerst leise, aber dann allmählich lauter und schriller, bis der Klang unerträglich wurde. Ein Computer-Monitor in der Wand neben Clarkes Schreibtisch erwachte zum Leben und verkündete in großen Buchstaben:

MISTER CLARKE IST ZUR ZEIT NICHT ERREICHBAR.
DIES IST EIN GESICHERTES AREAL.
BITTE IDENTIFIZIEREN SIE SICH MIT IHRER
NORMALEN ALLTAGSSTIMME, ODER VERLASSEN
SIE DIESEN RAUM AUGENBLICKLICH.
WENN SIE ES VERSÄUMEN, DIESEN ANORDNUNGEN
FOLGE ZU LEISTEN ...

Aber Clarke hatte bereits teilweise seine Fassung zurückgewonnen. »Darcy Clarke«, sagte er. »Ich bin zurück.« Und für den

Fall, daß die Maschine seine zittrige Stimme nicht erkannte, und weil er keine Lust hatte, darauf zu warten, daß sie weiter ihre kalten mechanischen Drohungen ausstieß, stolperte er an seine Tastatur und gab den aktuellen Sicherheitscode ein.

Die Botschaft auf dem Bildschirm verschwand und wurde durch eine neue Botschaft ersetzt:

BITTE VERGESSEN SIE NICHT, DAS PROGRAMM NEU ZU STARTEN, BEVOR SIE DEN RAUM VERLASSEN.

Dann schaltete das System sich und die Alarmsirenen ab.

Clarke ließ sich in seinen Schreibtischstuhl fallen, und fuhr wieder hoch, als die Gegensprechanlage heftig zu klingeln begann. Er drückte den Freisprechknopf, und die atemlose Stimme des diensthabenden Beamten erklang: »Ist da jemand drin, oder ist das hier ein Fehlalarm ...?« Eine zweite Stimme hinter der ersten fauchte: »Du kannst darauf wetten, daß da jemand drin ist!« Offenbar einer der ESPer.

Harry verzog das Gesicht und nickte: »Das hier hat mir irgendwie gar nicht gefehlt. Wirklich nicht!«

Clarke drückte den Freisprechknopf und hielt ihn gedrückt: »Hier ist Clarke«, sagte er und seine Stimme war im gesamten Hauptquartier zu hören. »Ich bin wieder da – und ich habe Harry mitgebracht. Vielmehr hat er mich mitgebracht! Aber kommt hier jetzt nicht alle reingestürzt; ich würde gern den Chef vom Dienst sprechen, und das reicht dann erst mal.« Er blickte zu Harry hinüber: »Entschuldigung! Aber man kann nun mal nicht an so einem Ort einfach – na ja, auftauchen – ohne daß die Leute das merken.«

Harry lächelte verständnisvoll – aber in diesem Lächeln spiegelte sich auch ein Teil seiner Anomalität. »Bevor die jetzt über uns herfallen, nur noch eine Frage: Was hast du gesagt, wann ist Jazz Simmons verschwunden? Ich meine, wann hat David Chung zum ersten Mal bemerkt, daß er nicht mehr da ist?«

»Das ist in ...« Clarke sah auf seine Armbanduhr, »in sechs

Stunden genau drei Tage her. Es war so gegen Mitternacht. Warum fragst du?«

Harry zuckte mit den Achseln: »Ich muß ja irgendwo anfangen. Wo hat er hier in London gewohnt?«

Clarke gab ihm die Adresse, als der Chef vom Dienst auch schon an die Tür klopfte. Diese war verschlossen und Clarke hatte den Schlüssel. Er stand auf, ging auf wackligen Beinen zur Tür und ließ einen großen, schlaksigen, nervös aussehenden Mann in einem grauen Freizeit-Anzug herein. Der Beamte hatte eine Waffe in der Hand, die er in sein Schulterholster zurücksteckte, sobald er sah, daß sein Chef wirklich und wahrhaftig vor ihm stand.

»Fred«, sagte Clarke, während er die Tür vor den anderen neugierigen Gesichtern verschloß und verriegelte, die über den Korridor herüberspähten, »ich glaube nicht, daß du Harry Keogh bisher begegnet bist? Harry, das ist Fred Madison. Er ...«

Da bemerkte er den erstaunten Gesichtsausdruck Madisons. »Fred?« Dann blickten sie beide zurück in den Raum, der abgesehen von ihnen beiden leer war!

Clarke zog ein Taschentuch heraus und wischte sich die Stirn ab. Und im nächsten Moment fing Madison ihn auf, als er begann, gegen die Wand zu sacken. Clarke war ein wenig grün im Gesicht. »Es geht mir gut, ist schon in Ordnung.« Er raffte sich auf. »Und was Harry angeht ...« Er blickte noch einmal durch das ganze Büro, dann schüttelte er den Kopf.

»Darcy?« Madison schien besorgt.

»Na ja, vielleicht begegnest du ihm ein andermal. Er ... es hat ihm hier nie besonders gut gefallen ...«

Knapp vier Tage vorher im Perchorsk Institut

Chingis Khuv, Karl Vyotsky und der Direktor des Institutes, Viktor Luchow, standen am Krankenhausbett von Vasily Agursky. Agursky war vor vier Tagen hier eingeliefert worden, und während dieser Zeit hatten die Ärzte bestimmte Symptome festgestellt und einen Alkoholentzug angeordnet. Mehr noch, offenbar hatte der Erfolg bereits eingesetzt. Im Großen und Ganzen war es erstaunlich einfach gewesen; aber von dem Moment an, an dem Agursky nicht mehr die Verantwortung für das Ding in dem Kasten trug, war auch sein Bedarf an schwarz gebranntem Wodka und billigem Slivowitz verschwunden. Er hatte nur einmal um etwas zu Trinken gebeten, und das war gewesen, als er am ersten Tag das Bewußtsein wiedererlangt hatte. Danach hatte er das Thema nicht mehr angesprochen, und der Mangel daran schien ihm nichts auszumachen.

»Geht es Ihnen besser, Vasily?« Luchow saß auf Agurskys Bettkante.

»So gut, wie man es unter diesen Umständen erwarten kann«, antwortete der Patient. »Ich stand schon seit einiger Zeit kurz vor einem Nervenzusammenbruch, schätze ich. Natürlich die Arbeit.«

»Arbeit?« Vyotsky schien davon nicht überzeugt. »Arbeit – jede Art von Arbeit – führt zu Ergebnissen. Und in diesem Licht kann man kaum nachvollziehen, warum sie so erschöpft sein sollten, Genosse.« Sein bärtiges Gesicht stierte bösartig auf den Mann im Bett herunter.

»Aber, aber, Karl«, Khuv schüttelte mißbilligend den Kopf. »Du weißt sehr wohl, daß es verschiedene Arten von Arbeit gibt, die auch auf verschiedene Weise anstrengend sind. Würde dir die Arbeit mit diesem Ding gefallen? Das kann ich mir kaum vorstellen! Und Genosse Agurskys Zustand war auch keine Erschöpfung im eigentlichen Sinne, oder wenn, dann war es eine nervöse Erschöpfung, hervorgerufen durch die ständige Nähe dieser Kreatur.«

Luchow, der die Hauptverantwortung für alles trug, was im Perchorsk Institut passierte, und der daher auch die meiste Autorität hatte, musterte Vyotsky wütend. Körperlich war Luchow ein Nichts im Vergleich zu dem KGB-Mann, aber in der Hackordnung des Institutes stand er haushoch über ihm, sogar über Khuv. Die Verachtung, die er für den Schläger empfand, war in seinem Tonfall unüberhörbar, als er zu Khuv sagte: »Sie haben absolut recht, Major. Jeder, der glaubt, Vasily Agurskys Aufgaben seien leicht, sollte sie selbst einmal ausprobieren. War das da eine freiwillige Meldung? Will ihr Mann uns damit sagen, daß er diese Aufgabe besser bewerkstelligen kann?«

Der KGB Major und der Institutsdirektor sahen im Gleichklang unzweideutig auf Vyotsky. Khuv lächelte sein hintergründiges, verschlagenes Lächeln, aber Luchows vernarbtes Gesicht deutete keine Reaktion und ganz bestimmt keine Heiterkeit an. Sein Ärger zeigte sich deutlich an den pulsierenden Adern auf der haarlosen Seite seines versengten Schädels. Die Beschleunigung seines Pulses war immer ein sicheres Zeichen dafür, daß er auf jemanden oder etwas wütend war, in diesem Fall auf Karl Vyotsky.

»Nun?« fragte Khuv, der sich in der letzten Zeit immer stärker über die Dummheit und die Gehässigkeit seines Untergebenen ärgerte. »Vielleicht habe ich mich ja geirrt und du möchtest den Job doch, Karl?«

Vyotsky schluckte seinen Stolz hinunter. Bei Khuv war es nicht auszuschließen, daß er das tatsächlich anordnete. »Ich ...«, stotterte er, »Ich meine, ich ...«

»Nein, nein!« Agursky selbst befreite Vyotsky aus seiner Zwickmühle. Er richtete sich in seinen Kissen auf. »Es steht völlig außer Frage, daß irgendjemand anderes meine Arbeit übernehmen könnte, und es ist lächerlich, anzunehmen, daß eine unqualifizierte Kraft einer solchen Aufgabe gewachsen sein könnte. Das sage ich in keiner Weise, um Ihnen in irgendeiner Form persönlich zu nahe zu treten, Genosse«, er warf Vyotsky einen ausdruckslosen Blick zu, »aber es gibt solche und solche Qualifikationen. Jetzt, wo ich mit zwei Problemen fertig geworden bin – mit meinem Zusammenbruch und meiner absurden ... Obsession, denn ich weigere mich, diese Sache mit dem Alkohol eine Sucht zu nennen, – wird das dritte kein Problem mehr sein, das verspreche ich Ihnen. Wenn ich noch einmal die gleiche Zeit habe, die ich bisher mit diesem Wesen verbracht habe, dann wird diese Kreatur mir ihre Geheimnisse offenbaren, da bin ich mir sicher. Ich weiß, meine Ergebnisse waren bisher nicht sehr vielversprechend, aber von jetzt an ...«

»Lassen sie es ruhig angehen, Vasily!« Luchow legte ihm die Hand auf die Schulter und beendete damit einen Wortschwall, der so gar nicht zu dem üblicherweise zurückhaltenden Agursky paßte. Offensichtlich war er noch nicht ganz wieder der Alte. Trotz der Beteuerungen seiner Ärzte, er sei fit genug, seinen Aufgaben wieder nachzugehen, lagen seine Nerven immer noch blank.

»Aber meine Arbeit ist wichtig!« protestierte Agursky. »Wir müssen wissen, was auf der anderen Seite des Tores liegt, und diese Kreatur kann uns vielleicht die Antworten darauf geben. Ich kann sie nicht aus ihr herausholen, wenn ich hier im Bett liege.«

»Noch ein Tag mehr auf der Krankenstation wird Ihnen nicht schaden.« Luchow stand auf. »Ich werde auch dafür sorgen, daß sie ab jetzt einen Assistenten bekommen. Es kann für einen Menschen nicht gut sein, wenn er allein so einer Kreatur ausgesetzt ist. Einige von uns ...«, dabei sah er bedeutungsschwanger zu Vyotsky hinüber, »wären – da bin ich mir sicher – schon viel früher zusammengebrochen ...«

»Gut, einen Tag noch.« Agursky ließ sich wieder zurücksinken. »Doch dann muß ich wirklich wieder an meine Arbeit. Glauben Sie mir, diese Sache zwischen mir und dieser Kreatur ist jetzt etwas sehr Persönliches geworden, und ich werde nicht aufgeben, bis ich sie besiegt habe.«

»Dann ruhen Sie sich jetzt erst einmal aus«, riet ihm Luchow, »und dann melden Sie sich bei mir, wenn Sie wieder auf den Beinen sind. Ich freue mich schon darauf.«

Agurskys Besucher verließen das Krankenzimmer, und endlich war er allein. Jetzt brauchte er sich nicht mehr verstellen. Er lächelte auf verschlagene und doch bittere Weise – ein Lächeln, das zum Teil dem Erfolg galt, weil er jeden in seiner Umgebung getäuscht hatte, zum Teil aber auch die Angst vor dem Unbekannten und der Tatsache widerspiegelte, daß er jetzt auf sich allein gestellt war. Das Lächeln verschwand von seinem Gesicht so schnell, wie es gekommen war. Es machte einem hysterischen

Anfall Platz, der sich in seinen blassen, zitternden Lippen und dem Tick zeigte, der einen seiner Mundwinkel unkontrolliert zucken ließ. Er hatte seine Ärzte und seine Besucher getäuscht, ja, aber es gab keinen Weg, wie er sich selbst täuschen konnte.

Die Ärzte hatten ihn gründlich untersucht und nichts gefunden außer einigen Streß-Symptomen und einer leichten körperlichen Schwäche – nicht einmal so etwas wie Vyotskys ›Erschöpfung‹ – und doch wußte Agursky, daß weit mehr als das mit ihm nicht stimmte. Das Ding in dem Kasten hatte etwas in ihn eingepflanzt, etwas, das sich zur Zeit versteckt hielt. Aber die Rädchen drehten sich und die Zeit tickte davon und die Frage war: Wie lang würde es verborgen bleiben?

Wie lange hatte er, um die Antwort zu finden und den Prozess zurückzudrehen, dessen Natur er nicht einmal kannte? Und wenn er diese Antwort nicht fand, was würde dann mit ihm geschehen, rein physisch, während dieses Etwas in ihm wuchs und gedieh? Wie würde das schließlich zutage treten? Bis jetzt wußte niemand außer ihm selbst davon, und von jetzt an mußte er sich genau im Auge behalten, mußte es früher als jeder andere wissen, falls ... falls etwas Seltsames mit ihm passierte. Denn wenn sie das zuerst erfuhren – wenn sie entdeckten, daß er in seinem Körper etwas von jenseits des Tores beherbergte – wenn sie auch nur einen Verdacht hegten ...

Agursky begann unkontrolliert zu zittern, knirschte mit den Zähnen und ballte die Fäuste in einem Anfall panischer Furcht. Sie verbrannten die Dinge von der anderen Seite des Tores, besprühten sie mit ihren Flammenwerfern, bis nur noch kleine Klumpen verkohlter Asche übrig blieben. Und sie würden auch ihn verbrennen, wenn ... wenn –

Wie würde er sein, wenn diese langsam mahlenden inneren Rädchen ihren Kreislauf vollendet hatten? Das war das Schlimmste daran: darauf keine Antwort zu haben ...

Draußen auf dem Rundgang hatten sie sich von Luchow verabschiedet, der sich um seine Aufgaben kümmern mußte. Khuv und Vyotsky waren auf dem Weg zu ihrer Arbeit bei der ESPer Gruppe im Institut, als einer von denen ihnen keuchend entgegengelaufen kam. Es war ein fetter und ausgesprochen öliger Mann namens Paul Savinkov, der vor seiner Beschäftigung in Perchorsk in den Botschaften in Moskau gearbeitet hatte. Eine widernatürliche Leidenschaft für männliche junge Angehörige des Botschaftspersonals hatte ihn für solche Aufgaben untragbar gemacht. Ohne viel Federlesens war er nach Perchorsk abgeordnet worden, aber er versuchte immer noch, sich von dort wieder wegzuschleimen, vor allem, in dem er alles tat, um Khuv bei Laune zu halten. Er war überzeugt davon, seinem KGB Aufpasser klar machen zu können, daß es Orte gab, wo sich seine Talente sehr viel besser und gewinnbringender einsetzen ließen. Sein Talent war die Telepathie, und auf dem Gebiet leistete er zu Zeiten hervorragendes.

Savinkovs fettes, glänzendes Gesicht spiegelte jetzt Beunruhigung, als er Khuv und Vyotsky auf dem langen Außenkorridor entdeckte. »Ach, Genossen – genau die Männer, die ich suche! Ich war auf dem Weg, um Bericht zu erstatten ...« Er mußte innehalten und lehnte sich an die Wand, um wieder zu Atem zu kommen.

»Was ist los, Paul?«

»Ich hatte Dienst und mußte ein Auge – sozusagen – auf Simmons haben. Vor zehn Minuten hat jemand versucht, mit ihm Kontakt aufzunehmen. Ich habe mich bestimmt nicht geirrt: ein starkes telepathisches Signal, das direkt auf ihn gerichtet war. Ich habe es gefühlt, und es ist mir wahrscheinlich gelungen, es abzuwehren – wenigstens ist es deutlich verzerrt worden – und als ich es dann nicht länger gespürt habe, bin ich losgelaufen, um Sie zu finden. Selbstverständlich habe ich zwei von den anderen dort gelassen, falls das wieder vorkommt. Oh, und auf dem Weg hierher habe ich das hier für Sie bekommen.« Er reichte Khuv eine Nachricht aus der Kommunikationszentrale.

Khuv warf einen Blick darauf – und seine Miene verfinsterte sich augenblicklich. Er las die Botschaft noch einmal, seine dunklen Augen flogen über den Ausdruck. »Verdammt!« entfuhr es ihm leise – was aber in seinem Fall mehr hieß als jeder heftige Ausbruch. Zu Vyotsky gewandt meinte er: »Komm, Karl. Ich glaube, wir müssen uns sofort mit Mr. Simmons unterhalten. Und unsere Pläne mit ihm werden wir wohl ein wenig vorverlegen. Es wird dich zweifellos betrüben, zu hören, daß du von heute nacht an keine Gelegenheit mehr haben wirst, ihn zu provozieren. Dann wird er nämlich nicht mehr hier sein.« Er steckte die Nachricht in seine Tasche und entließ den unterwürfigen Savinkov mit einer Handbewegung.

Als Khuv jetzt auf Simmons' Zelle zusteuerte, mußte Vyotsky fast neben ihm her joggen, um Schritt zu halten. »Was ist passiert, Major? Wo kam die Nachricht her und was stand drin?«

»Dieser telepathische Kontaktversuch, der uns gerade gemeldet worden ist«, überlegte Khuv laut, als habe er die Worte des anderen nicht gehört, »war nicht der erste, wie du ja wohl weißt.« Er eilte voran, Vyotsky dicht hinter ihm. »Die meisten davon waren reine Schüsse ins Blaue: die Versuche verschiedener Gruppierungen von Sehern oder Telepathen, die wissen wollten, was hier vor sich geht. Aber diese Versuche waren sehr schwach, weil die feindlichen ESPer unsere Position nicht genau bestimmen können – und damit keinen exakten Zielpunkt haben – und auch, weil wir durch die Schlucht geschützt sind. Unseren eigenen Deflektoren war es ein Leichtes, diese Versuche zu vereiteln oder sie abzublocken. Aber wenn eine fremde Macht jetzt wirklich einen PSI-begabten Agenten hier hereingeschmuggelt hat, dann ist das eine ganz andere Sache!«

»Aber Simmons besitzt solche Talente nicht«, widersprach Vyotsky. »Wir haben das ohne jeden Zweifel nachgewiesen.«

»Das stimmt«, grummelte Khuv, »aber ich glaube, sie haben eine Möglichkeit gefunden, ihn trotzdem zu so etwas zu benutzen. Diese Nachricht in meiner Tasche bestätigt das sogar.« Er gluckste grimmig, wie jemand, der bei einem Schachspiel eine Figur verloren hat. »Dahinter können nur die Briten stecken, denn sie sind in diesem Spiel am weitesten fortgeschritten. Die Leute im E-

Dezernat bei denen sind verdammt clever! Das waren sie schon immer – und verdammt gefährlich, wie unsere ESPer zu ihrem Leidwesen im Chateau Bronnitsy feststellen mußten.«

»Ich kann da nicht folgen«, brummelte Vyotsky durch seinen Bart. »Simmons hat sich hier nicht eingeschlichen; wir haben ihn geschnappt und er ist ganz bestimmt nicht freiwillig mitgekommen.«

»Auch das ist richtig. Wir haben ihn geschnappt – und wir haben ihn hierher gebracht – aber glaube mir, wir können es uns nicht mehr leisten, ihn hier zu behalten. Deswegen muß er gehen – noch heute nacht!«

Sie waren vor Simmons' Zelle angekommen. Vor der Tür lungerte ein uniformierter und bewaffneter Soldat herum, der in Habachtstellung ging, als Khuv und Vyotsky sich näherten. In einer Zelle neben der des Gefangenen saßen zwei ESPer in Zivilkleidung vor einem Tisch, versunken in ihre eigenen Gedanken und mentalen Aktivitäten. Khuv ging hinein und sprach kurz mit ihnen: »Ihr beiden – ich gehe davon aus, daß Savinkov euch gesagt hat, was passiert ist? Das bedeutet, daß ihr noch wachsamer sein müßt! Das ist jetzt wichtiger als je zuvor! Ich will sogar, daß die ganze Truppe – Savinkov eingeschlossen – sich darauf von jetzt an konzentriert. Die ganze Zeit! Diese Maßnahmen werden nicht für lange gelten, wahrscheinlich nur für ein paar Stunden, aber bis ich einen anderen Befehl gebe, wird es genau so gemacht. Geben Sie das weiter und sorgen Sie dafür, daß die Dienstpläne dementsprechend umgestellt werden.«

Er ging zurück, und der wachhabende Soldat ließ ihn und Vyotsky in Simmons' Zelle. Der britische Soldat lag auf seiner Koje und hatte die Hände hinter seinem Kopf verschränkt.

Er setzte sich bei ihrem Eintritt auf, rieb sich die Augen und gähnte.

»Besucher!« äußerte er in seinem gewohnt sarkastischen Tonfall. »So was! Gerade als ich anfing, mich zu fragen, ob Ihr beiden mich vergessen habt. Welchem Umstand verdanke ich diese Ehre?«

Khuv lächelte kalt: »Nun, wir sind hier, um mit Ihnen über Ihre T-Kapsel zu reden, Michael – unter anderem. Über Ihre sehr interessante, sehr einfallsreiche T-Kapsel.«

Jazz befingerte die linke Seite seines Gesichts und ließ seinen Zeigefinger an seinem Kiefer auf und ab gleiten. »Es tut mir leid, aber ich befürchte, die haben Sie bereits bekommen«, stellte er, ein wenig bedauernd, fest. »Den Zahn daneben auch. Aber es heilt ganz gut, danke der Nachfrage.«

Vyotsky kam drohend näher: »Ich kann diesen Heilungsprozeß ganz schnell umkehren, Engländer. Ich kann dir ein paar Dinge so zurichten, daß die nie wieder heilen.«

Khuv pfiff ihn mit einem gequälten Seufzer zurück: »Karl, manchmal gehst du mir auf die Nerven«, meinte er. »Du weißt sehr gut, daß wir Mr. Simmons in Hochform brauchen, ansonsten funktioniert unser kleines Experiment nicht.« Er sah seinen Gefangenen vielsagend an.

Jazz setzte sich auf seinem Bett auf.

»Experiment?« Er versuchte ein fragendes Lächeln und scheiterte dabei kläglich. »Was für ein Experiment? Und was ist mit meiner T-Kapsel?«

»Kommen wir zuerst darauf«, erklärte Khuv. »Unsere Leute in Moskau haben die Zusammensetzung analysiert: Es sind sehr komplexe, aber auch sehr harmlose Ingredienzien! Sie wären für ein paar Stunden ins Reich der Träume versunken, das ist alles.« Er achtete genau auf die Reaktion seines Gegenübers. Jazz sah ihn finster an und glaubte ihm offenkundig nicht.

»Das ist doch lächerlich. Nicht, daß ich jemand wäre, der auf so etwas zurückgreifen würde – das halte ich jedenfalls für unwahrscheinlich – aber diese Kapseln sind tödlich!« Er sah Khuv mißtrauisch an: »Worauf wollen Sie hinaus, Genosse? Ist das irgendein alberner Trick, um mich auf Ihre Seite zu locken?«

Wieder dieses kalte Lächeln: »Nein, denn ich befürchte, wir haben keine Verwendung für Sie, Michael – und jetzt ganz bestimmt nicht mehr, nachdem Sie das Innere des Perchorsk Instituts gesehen haben. Aber tun Sie diese Möglichkeit nicht so ohne weiteres ab. Ich wüßte nicht, warum Ihre Seite besser sein sollte als die unsere. Schließlich haben die Sie bisher auch nicht besonders gut behandelt, oder?«

»Ich weiß nicht, wovon Sie reden!« Jazz schüttelte den Kopf und gab es auf, den Clown zu spielen. »Warum erzählen Sie mir nicht, wieso Sie wirklich hier sind?«

»Aber das habe ich doch. Wenigstens einen Teil davon. Was ich Ihnen sagen wollte, ist das: Ihre Leute haben erwartet, daß wir Sie schnappen würden. Sie konnten aber nicht sicher sein, wie Sie hier aufgenommen werden würden, deshalb haben Sie dafür gesorgt, daß Sie sich nicht zu schnell umbringen konnten.«

»Zu schnell wofür?«

»Bevor die Sie benutzen konnten, das ist doch klar.«

Jazz war immer noch mißtrauisch: »Was Sie da sagen, scheint einen Sinn zu ergeben, obwohl ich weiß, daß es das nicht kann. Falls das, was Sie sagen, wahr ist!«

»Ihre Verwirrung ist verständlich und sehr erfreulich«, bestätigte Khuv. »Das garantiert mir, daß Sie nicht eingeweiht waren. Ihre T-Kapsel sollte Sie täuschen – sollte dafür sorgen, daß Sie Ihre Rolle überzeugend spielten – genau wie sie uns täuschen sollte! Sie war so konzipiert, um uns möglichst lange zu beschäftigen. Ich vermute, daß Ihre ESPer – das britische E-Dezernat – die ganze Sache eingefädelt haben. Und früher oder später, wenn man ihnen genügend Zeit lassen würde, hätten die einen Weg gefunden, zu Ihnen durchzudringen. Aber die haben sie nicht. Nicht mehr!«

»E-Dezernat? ESPer?« Jazz hob ratlos die Hände. »Ich habe Ihnen bereits gesagt, daß ich von so etwas keine Ahnung habe. Ich glaube nicht einmal daran!«

Khuv setzte sich auf einen Stuhl neben Simmons' Bett. »Dann lassen Sie uns über etwas reden, woran Sie glauben.« Seine Stimme war jetzt sehr ruhig, sehr gefährlich. »Sie glauben doch an dieses Raum-Zeit-Tor da unten in den Magmasse-Tiefen dieser Anlage, oder?«

»Ich kann die Beweise meiner fünf Sinne akzeptieren, ja.«

»Dann werden Sie das hier auch akzeptieren können: Heute nacht werden Sie durch das Tor gehen.«

Jazz war schockiert: »Ich werde was?«

Khuv stand auf: »Ich hatte das schon die ganze Zeit vor, aber ich wollte sicher gehen, daß Sie wieder zu hundert Prozent auf dem Damm sind, bevor Sie eingesetzt werden. Aber auch das hätte höchstens noch drei oder vier Tage gedauert.« Er zuckte mit den Achseln. »Jetzt müssen wir das eben vorziehen. Egal ob Sie daran glauben oder nicht, die E-Dezernate der Welt sind sehr real. Ich bin der offizielle Repräsentant und Betreuer einer solchen Gruppe von paranormal begabten Menschen, und einige von meinen ESPern sind hier zusammen mit mir stationiert. Ihre Leute im Westen versuchen Sie als ›Reflektor‹ für unsere Arbeit hier zu benutzen. Bisher haben sie keinen Erfolg gehabt; und heute nacht werden wir dafür sorgen, daß sie den auch nie haben werden.«

Jazz sprang auf und trat auf Khuv zu. Vyotsky stellte sich ihm in den Weg: »Na komm, Engländer, versuch es erst mal mit mir.«

Jazz trat einen Schritt zurück. Er würde es liebend gern einmal mit dem riesigen Russen ›versuchen‹, aber zu gegebener Zeit und an passendem Ort. Er sagte zu Khuv: »Wenn Sie mich dazu zwingen, durch das Tor zu gehen, dann sind Sie nichts weiter als ein Mörder!«

»Nein.« Khuv schüttelte den Kopf. »Ich bin ein Patriot und habe das Wohl meines Landes zu bedenken. Sie sind der Mörder, Michael! Haben Sie Boris Dudko vergessen, den Mann, den Sie oben in der Schlucht ermordet haben?«

»Er hat versucht, mich umzubringen«, protestierte Jazz.

»Das hat er nicht«, Khuv schüttelte den Kopf, »aber wenn er es versucht hätte, dann wäre er zumindest im Recht gewesen.« Khuv spielte den Aufgebrachten. »Was? Ein feindlicher Agent bei der Spionage, weit hinter den Landesgrenzen eines friedlichen Staates? Natürlich hatte er das Recht! Und wir haben ebenfalls das Recht, Ihnen das Leben zu nehmen.«

»Das widerspricht jeder Konvention!« Jazz wußte, daß er keine

Argumente auf seiner Seite hatte, aber er mußte alles versuchen. »In diesem Fall gibt es keine Konvention. Wir müssen Sie loswerden, daß sollte Ihnen klar sein. Und egal, was es auch ist, Mord ist es nicht!«

»Nein?« Jazz sackte wieder auf seinem Bett zusammen. »Meinetwegen können Sie es ein Experiment nennen, aber ich nenne es Mord. Gott! Sie haben doch gesehen, was da aus dieser Kugel oder diesem Tor oder was auch immer kommt! Was für eine Chance soll ein Mann in einer Welt haben, aus der so etwas kommt?«

»Eine sehr kleine«, gab Khuv zu, »aber eine kleine Chance ist immer noch besser als gar keine.«

Jazz dachte darüber nach, versuchte sich vorzustellen, wie das sein würde. Er zwang seine durcheinanderwirbelnden Gedanken zur Ruhe. »Ein Mann allein, an so einem Ort. Und ich weiß noch nicht einmal, was genau das für ein Ort ist.«

Khuv nickte: »Es versetzt einem schon einen Schlag, nicht wahr? Aber Sie sind nicht unbedingt allein ...«

Jazz starrte ihn an: »Schicken Sie jemanden mit mir hinein?«

»Bedauerlicherweise nein.« Khuv lächelte. »Vielleicht sollten wir eher sagen, daß jemand – drei jemande – bereits gegangen sind.«

Jazz schüttelte den Kopf: »Ich kann Ihnen nicht folgen.«

»Der erste war ein verurteilter Dieb und Mörder hier aus der Gegend. Er hatte die Wahl: Hinrichtung oder das Tor. Eine wirkliche Wahl war das wohl nicht, schätze ich. Wir haben ihn ausgerüstet, so wie wir auch Sie ausrüsten werden, und haben ihn losgeschickt. Er hatte ein Funkgerät, aber er hat es nie benutzt, oder – falls er das getan hat – stellt das Tor eine Funkbarriere dar. Doch es war den Versuch wert; es wäre doch einmal etwas Neues gewesen, Funksignale aus einem anderen Universum zu empfangen, oder? Er hatte außerdem Nahrungsmittelkonzentrat, Waffen, einen Kompaß und – und das ist vielleicht das wichtigste – einen hohen Überlebenswillen. Seine Ausrüstung war das Beste vom Besten, und wir haben ihm eine Menge davon mitgegeben – viel mehr als ich hier aufgezählt habe. Sie bekommen genausoviel, vielleicht sogar mehr. Es ist alles eine Frage, was Sie tragen können, oder zu tragen bereit sind. Na ja, nach vierzehn Tagen haben wir ihn dann abgeschrieben. Wenn es einen Weg zurück gibt, hat er ihn nicht gefunden – oder etwas anderes hat ihn zuerst gefunden. Ich sagte, wir haben ihn abgeschrieben, aber natürlich kann es sein, daß er auf der anderen Seite immer noch am Leben ist. Schließlich wissen wir ja nicht, wie es da aussieht.

Als nächstes haben wir es mit einem ESPer versucht – oh ja. Mit einem unserer eigenen Männer. Seine Name war – oder vielleicht ist er es auch noch – Ernest Kopeler, ein Mann mit der bewundernswerten Fähigkeit, Dinge in der Zukunft sehen zu können. Was für eine Verschwendung, müssen Sie denken, jemanden wie ihn durch das Tor zu schicken. Aber leider kam Kopeler einfach nicht mit unserem Lebensstil zurecht. Zweimal hat er versucht – wie sagen Sie doch – überzulaufen? So würden Sie es nennen, aber bei uns heißt so etwas erbärmlicher Verrat. Der Dummkopf. Mit einem Talent wie dem seinen wollte er auch noch die Freiheit haben. Seine eigenen Gründe waren schließlich doch sehr ironisch: Er hat offenbar in seine eigene Zukunft geschaut – und er fand sie schauderhaft, unerträglich.«

Jazz dachte darüber nach: »Er wußte, daß er durch das Tor gehen mußte.«

Khuv zuckte mit den Achseln. »Möglicherweise. Aber wie sagen doch die Spanier: *Que sera sera?* Menschen können ihrem Schicksal nicht entgehen, Michael. Die Sonne geht für uns alle unter und sie geht auch für uns alle wieder auf.«

»Außer für mich, nicht wahr?« Jazz schnaubte verächtlich. »Und was war mit Ihrem dritten ›Freiwilligen‹? Auch ein Verräter?«

Khuv nickte: »Vielleicht war sie das, ja, aber wir können das nicht mit Sicherheit sagen.«

»Sie?« Jazz konnte es kaum glauben. »Wollen Sie mir damit sagen, daß Sie tatsächlich eine Frau durch das Tor geschickt haben?«

»Genau das will ich damit sagen. Sogar eine sehr schöne Frau. Wirklich eine Schande. Sie hieß oder heißt Zek Föener. Zek ist dabei eine Kurzform von Zekintha. Ihr Vater stammt aus Ostdeutschland, ihre Mutter aus Griechenland. Sie war einmal die beste Telepathin, die wir hatten, aber dann ist etwas passiert. Wir wissen nicht genau, was ihr widerfahren ist, aber sie hat ihr Talent verloren – oder hat es zumindest behauptet. Ganze sechs Jahre lang, die sie in einer Nervenheilanstalt zugebracht hat, wo sie sich extrem aufsässig verhielt. Dann hat sie zwei weitere Jahre in einem Arbeitslager in Sibirien verbracht, wo ESPer ein Auge auf sie hatten. Die schworen Stein und Bein, daß sie immer noch telepathische Fähigkeiten besaß, und sie hat es genauso vehement abgestritten. Es war alles sehr ärgerlich und die reine Verschwendung. Sie war eine herausragende Telepathin gewesen; aber jetzt war sie eine Dissidentin, die sich nicht anpassen wollte und die auf ihrem Recht pochte, nach Griechenland emigrieren zu dürfen. Kurz gesagt, sie war ein zu großes Problem geworden. Also ...«

»Haben Sie sich ihrer entledigt!« Jazzs Stimme klang schneidend.

Khuv ignorierte die Schärfe in den Augen seines Gegenüber. »Wir haben ihr gesagt: *Geh durch das Tor und benutze deine telepathischen Fähigkeiten, um uns zu berichten, was da auf der anderen Seite ist – denn mit Sicherheit haben wir Leute hier, die dich hören können – und wenn du erfolgreich bist und das alles getan hast, dann holen wir dich zurück.*«

Jazz starrte Khuv eisig an: »Aber Sie hatten gar keine Möglichkeit, sie zurückzubringen!«

Wieder Khuvs Achselzucken: »Nein, aber das wußte sie ja nicht!«

»Also doch Mord«, Jazz nickte. »Nun, wenn ihr das mit euren eigenen Leuten macht, dann sehe ich keinen Grund, warum es mir da besser ergehen sollte. Ihr Leute seid ... verdammt, ihr seid der letzte Dreck!«

Vyotsky grunzte warnend, vielleicht auch herausfordernd, trat vor und streckte seine gewaltigen Pranken nach Simmons aus. Khuv legte ihm die Hand auf den Arm und bremste ihn: »Meine

Geduld ist auch am Ende, Karl. Aber was macht das schon? Spar dir die Mühe. Wir sind hier sowieso fertig. Glaub mir, ich habe von Mr. Simmons genauso die Nase voll wie du, aber ich will immer noch, daß er in einem Stück durch das Tor geht.«

Sie gingen zur Tür, Khuv klopfte und ihnen wurde geöffnet. Vor der Tür drehte sich der KGB Major noch einmal um: »Ach, das hätte ich doch beinahe vergessen. Zeig Michael doch mal deine schmutzigen Bilder, Karl. Wenn wir schon der letzte Dreck sind, dann sollten wir uns auch so verhalten.«

Khuv ging durch die Tür und verschwand, ohne sich noch einmal umzusehen. Vyotsky drehte sich um und sah Jazz an, dann grinste er und zog einen kleinen Briefumschlag aus einer Tasche. »Erinnerst du dich an deine Freunde aus dem Holzfällercamp? Die Kirescus? Kaum hatten wir dich geschnappt, da haben deine Freunde im Westen ihnen einen Tip gegeben. Wir haben aber schon seit geraumer Zeit gegen sie ermittelt, und sie standen unter Beobachtung. Sie wollten untertauchen. Ich weiß nicht, was die geglaubt hatten, wohin sie verschwinden könnten. Anna Kirescu kommt in ein Arbeitslager und der kleine Kaspar in ein Waisenhaus. Yuri hat Widerstand geleistet und wir mußten schießen – das hat er natürlich nicht überlebt. Damit sind es dann nur noch zwei.«

»Kazimir und seine Tochter Tassi? Was ist mit ihnen?« Jazz stand auf. Er spürte fast körperlich, wie seine Wut ihn auf den Schläger zudrängte. Gott, wie es ihn in den Fingern juckte!

»Na, wir haben sie natürlich. Es gibt so viele Sachen, die sie uns erzählen können. Über ihre Kontakte hier in Rußland und drüben in Rumänien. Aber weil sie ein bißchen simpel gestrickt sind, müssen wir auch bei den Methoden, mit denen wir die Informationen aus ihnen herausholen, nicht so kompliziert vorgehen. Wir können da ein wenig – na ja, direkter sein. Kannst du mir folgen?«

Jazz trat einen Schritt nach vorn. Seine Gefühle und sein Temperament waren auf dem Siedepunkt. Er wußte, wenn er noch einen Schritt tun würde, dann mußte er ernst machen und sich auf Vyotsky stürzen. Was wahrscheinlich genau das war, was der KGB-Schläger wollte. »Ein alter Mann und ein junges Mädchen? Willst du damit sagen, daß ihr sie foltert?«

Vyotsky leckte sich über seine roten, fleischigen Lippen und warf den Umschlag durch die Zelle, präzise auf Simmons' Bett. »Es gibt solche und solche Folter«, sagte er mit vor Geilheit bebender Stimme. »Diese Bilder zum Beispiel werden eine Folter für dich sein. Ich meine, du und die kleine Tassi, ihr mochtet euch doch sehr, nicht war?«

Jazz spürte, wie sein Gesicht alle Farbe verlor. Er blickte auf den Umschlag, dann wieder auf Vyotsky. Er war hin- und hergerissen. »Was zum Teufel ...?«

»Na ja, der Major weiß, wie sehr es mir gefällt, dich zu provozieren, also hat er gesagt, es wäre okay, wenn wir eine kleine Photoserie schießen, ich und die Kleine. Ich hoffe, du magst sie. Sehr künstlerisch, wie ich finde.«

Jazz stürzte sich auf ihn.

Vyotsky trat einen Schritt zurück und schlug ihm die Tür vor der Nase zu.

In der Zelle blieb Jazz schliddernd stehen. Er starrte auf die Tür und sein Atem rasselte in der Brust und der Kehle. In diesem Moment hätte er sich liebend gern mit einem rostigen Taschenmesser und ohne Betäubungsmittel über Vyotskys Eingeweide hergemacht. Aber die Photographien ...

Jazz ging zu dem Bett herüber und nahm fünf kleine Bilder aus dem Umschlag. Das erste war ein wenig zerknickt; Jazz kannte es gut: Es zeigte Tassi in einem Feld voller Gänseblümchen. Sie hatte ihm dieses Bild geschenkt. Das nächste Bild zeigte sie ... nackt an eine Stahlplatte gekettet. Ihre Hände waren über den Kopf gefesselt und die Beine weit gespreizt. Die Augen des Mädchens waren fest geschlossen – und Vyotsky ragte neben ihr auf, grinsend, und hielt ihre linke Brust in seiner Hand.

Das dritte Bild war noch schlimmer, und Jazz sah sich die anderen nicht einmal mehr an. Er zerknüllte sie zu einem festen Klumpen und warf sie so weit weg wie möglich. Dann rollte er sich auf dem Bett zusammen und konzentrierte sich auf Bilder, die aus seinem Inneren kamen. Sie kreisten wieder um Vyotskys Eingeweide, aber diesmal war da kein Taschenmesser. Nur noch seine Fingernägel.

Draußen vor der Tür blieb Vyotsky einen Moment mit dem Ohr an den kalten Stahl gepreßt stehen. Nichts. Absolute Stille. Und Vyotsky dachte. *Er muß Wasser in den Adern haben!* Er hämmerte an die Tür. »Michael«, rief er. »Khuv sagt, daß ich mich heute abend, wenn wir dich losgeworden sind, mit der Kleinen für ein oder zwei Stunden amüsieren darf. Das Leben hat doch auch seine schönen Seiten, nicht wahr? Ich dachte, vielleicht könntest du mir sagen, auf was sie am meisten steht? Nein ...?«

Immer noch Stille.

Das Grinsen verschwand aus Vyotskys Gesicht. Er fluchte und ging davon.

Fest auf dem Bett zusammengerollt wimmerte Jazz leise. Er biß sich auf die Lippen, bis sie bluteten. In seinen Adern floss kein Wasser, sondern glühendes Feuer ...

Im Laufe der nächsten fünf oder sechs Stunden hatte Jazz einen Haufen Besucher. Sie kamen mit den verschiedensten Ausrüstungsgegenständen in seine Zelle, deren Funktion ihm auf das genaueste erklärt und demonstriert wurde. Es wurde ihm sogar erlaubt, die Gegenstände anzufassen, sie auseinanderzunehmen und wieder zusammenzusetzen. Er gab sich größte Mühe damit, denn sein Überleben hing von ihnen ab. Aber dem winzigen Flammenwerfer fehlte der Inhalt des Treibstofftanks, und statt der kleinkalibrigen halbautomatischen Maschinenpistole bekam er nur das Handbuch dazu zu sehen.

Der junge Soldat, der am späten Abend mit dem Handbuch kam, brachte auch eine halbvolle Munitionsschachtel mit gebrauchten und verrosteten Patronen. Damit konnte Jazz üben, wie man das Magazin lud. In einer Kampfsituation hängt die Zeit, die man noch zu leben hat, davon ab, wie schnell man nachladen kann. Jazz hatte sich beim ersten Mal ungeschickt angestellt, sich dann aber konzentriert, war schneller geworden und hatte das zweite Magazin sehr schnell geladen. Der junge Soldat war beeindruckt, aber danach hatte er gegähnt und das Interesse verloren. Jazz hatte noch eine weitere halbe Stunde Magazine ge- und entladen.

»Weswegen sind Sie hier?« hatte der Soldat ihn schließlich gefragt.

»Sie meinen, warum man mich hier gefangen hält? Spionage.« Jazz sah keinen Grund, warum er das verschweigen sollte. Jetzt nicht mehr.

»Mir«, der Junge stieß sich mit dem Daumen gegen die Brust, »mir müssen sie den Prozeß wegen Meuterei machen, wenn ich nicht bald etwas Schlaf kriege! Gestern abend hatten wir einen Übungsalarm in der Kaserne und seitdem habe ich Dienst. Ich schlafe im Stehen ein!« Er stutzte. »Sagten Sie Spionage?«

Jazz nickte: »Ich habe spioniert.« Er warf die alten Magazine und die Hand voll verfärbter, messingummantelter Patronen in die Munitionskiste zurück und schloß die Schnappschlösser. Dann klopfte er sich die Hände an der Hose ab und stand auf. »Das reicht. Ich glaube, ich komme damit jetzt gut genug zurecht.«

»Das Wissen, wie man ein Magazin lädt, nützt aber nicht viel«, der Soldat grinste, »wenn sie kein Gewehr haben.«

Jazz grinste zurück: »Das ist richtig. Werden Sie mir eines bringen?«

»Hach.« Der junge Mann lachte laut auf. »Meuterei ist eine Sache, aber Irrsinn ist etwas völlig anderes. Ihnen ein Gewehr bringen? Nein, mein Freund. Das bekommen Sie später ...«

Und jetzt war dieses ›später‹, von dem der Soldat geredet hatte: In der Welt dort draußen war es zwei Uhr morgens, aber im Innern des unterirdischen Perchorsk Komplexes spielte die Zeit keine so große Rolle. Es machte keinen großen Unterschied hier unten, ob es Tag oder Nacht war. Jedenfalls nicht in normalen Nächten, doch diese Nacht war ohnehin anders.

Unter den alptraumhaften Magmasse-Ebenen, im Zentrum der

Anlage, stand Michael ›Jazz‹ Simmons auf der hölzernen Plattform und ließ sich seine Ausrüstung anpassen. Er hatte auch keine große Wahl, was das anging. Aber man hatte ihm immer noch nicht den Treibstofftank für seinen Flammenwerfer gegeben, und die Maschinenpistole fehlt ihm ebenfalls noch. Die lag in den starken Händen von Karl Vyotsky, der die leichtgewichtige Waffe wie ein Baby in seinen mächtigen Armen hielt. Vyotsky würde Jazz über den Holzsteg begleiten.

Zuletzt hatte der Agent alles, was er tragen und womit er sich immer noch einigermaßen bewegen konnte. Er hatte auf einen Anorak und ein riesiges Holzfällermesser, das mindestens drei Pfund wog, verzichtet. Aber er hatte ein kleines rasiermesserscharfes Beil gewählt, das sowohl als Waffe wie auch als nützliches Werkzeug dienen konnte.

Schließlich drängte sich Khuv durch den Kreis von Leuten hindurch, die sich um Simmons kümmerten, und sagte: »Nun, Michael, das war's! Wenn ich damit rechnen könnte, daß Sie sie annehmen würden, dann würde ich Ihnen jetzt meine besten Wünsche übermitteln.«

»Ach?« Jazz musterte ihn von oben bis unten. »Ich persönlich wünsche Ihnen alles Üble der Welt, Genosse!«

Khuvs Mundwinkel senkten sich nach unten: »Na gut, dann sind Sie eben ein harter Kerl! Das sollten Sie besser auch bleiben. Wer weiß, vielleicht bleiben Sie ja sogar am Leben. Aber wenn Sie einen Weg zurück finden, dann werden wir auf Sie warten. Und dann werde ich jede Einzelheit wissen wollen. Im Endeffekt wird uns gar nichts anderes übrig bleiben, als eine Armee durch das Tor zu schicken; und selbst die kleinste Information kann da von großem Nutzen sein.« Er nickte Vyotsky zu.

»Gehen wir, Engländer!« Der gewaltige Russe stieß ihn mit dem Lauf des Maschinengewehrs an.

Jazz bewegte sich vorwärts über die Planken, warf einen Blick zurück, zuckte dann mit den Achseln und wandte sich der Kugel zu. Eine dunkle Brille schützte seine Augen teilweise vor ihrem Glanz, aber schon die gleißenden Konturen der Oberfläche schmerzten. Es war, als beobachte man einen toten Kanal auf einem Fernsehschirm. Der Saturnring um die Kugel lag jetzt hinter ihm und Jazz ging über den schmalen Holzsteg. Verschmorte Balken unter seinen Füßen verrieten ihm, daß er jetzt an der Stelle angekommen war, an der der Krieger gestorben war, und es schien ihm, als höre er wieder den Schrei des Wesens: *Wamphyri!* Und dann –

Sie waren an der Kugel angekommen. Jazz blieb stehen und streckte eine Hand nach vorn. Seine Finger drangen problemlos in das Licht ein, es gab keinen Widerstand, bis er die Hand wieder zurückzog; dann spürte er einen seltsamen Widerstand, er fühlte, wie die Kugel an ihm zog. Sie wollte ihn nicht wieder gehen lassen, nicht einmal nach dieser kurzen Berührung. Er zog seine Hand wieder heraus, aber es kostete ihn Mühe.

»Stop«, meinte Vyotsky direkt hinter ihm. »Sei nicht so ungeduldig, Engländer! Du brauchst das hier noch.« Er befestigte einen zylinderförmigen Aluminiumbehälter an dem Rucksack auf Jazzs Rücken: Treibstoff für den Flammenwerfer. Dann: »Umdrehen!«

Jazz gehorchte. Vyotsky grinste ihn an: »Du bist ganz schön blaß, Engländer! Mulmiges Gefühl, was?«

»Ein bißchen«, antwortete Jazz wahrheitsgemäß. Jetzt, wo es unabänderlich war, fühlte er sich ein wenig komisch. Es würde noch viel schlimmer werden, aber im Augenblick konzentrierte er sich nicht auf seine Gefühle, sondern auf etwas ganz anderes.

Vyotsky musterte sein Gesicht einen Moment lang: »Huch! Ich weiß nicht, ob du ein Held bist oder einfach nur verdammt dumm! Egal, das hier gehört dir.« Er nahm das Magazin aus der Maschinenpistole und reichte ihm die Waffe. Dann gluckste er: »Willst du das hier auch noch haben, Engländer?« Er schüttelte das Magazin in seiner Hand, bis es klapperte. »Das würde dir jetzt viel gelegener kommen als die anderen, die du da im Rucksack hast, nicht wahr?«

Das hagere Gesicht des anderen war voll konzentriert, zeigte aber keinerlei Gefühlsregung. Plötzlich dachte Vyotsky: *Hier stimmt etwas nicht!* Er hörte auf zu grinsen und trat einen Schritt zurück.

Jazzs rechte Hand fuhr in eine Tasche seines einteiligen Kampfanzugs und kam mit einem rostigen, aber brauchbaren Magazin wieder zum Vorschein. In einer einzigen gleitenden Bewegung klickte er das Magazin an seinen Platz und entsicherte die Waffe. »Stehengeblieben!« fauchte er Vyotsky an.

Vyotsky erstarrte. Jazz schob sich nah an ihn heran und drückte die Mündung der Waffe unter sein Kinn. Er knurrte: »Komisch, aber du bist ein bißchen blaß um die Nase, Iwan. Stimmt was nicht?«

Khuv rannte von der Saturnringplattform auf sie zu. »Nicht schießen!« schrie er – nicht an Jazz gerichtet, sondern an die Soldaten auf dem Rundgang, wo alle Waffen auf den britischen Agenten gerichtet waren. Als Khuv zum Halt schlidderte, war er noch ungefähr drei Meter weit weg. »Michael«, keuchte er, »was haben Sie vor?«

»Ist das nicht offensichtlich?« Jazz genoß die Sache beinahe. »Iwan der Schreckliche hier kommt mit mir.« Er griff hart in Vyotskys Bart, drückte die Maschinenpistole fester gegen das Kinn des Russen und wich langsam zurück.

Vyotsky war blaß wie der Tod: »Nein«, gurgelte er, aber er wagte es nicht, sich zu wehren; er konnte nicht riskieren, daß der Finger des Engländers einen zu großen Druck auf den Abzug ausübte.

»Oh doch, Iwan, du wirst – oder du stirbst sofort hier!« erklärte Jazz ihm. »Mir ist das einerlei, ich habe nichts mehr zu verlieren.« Er spürte, wie die Außenhaut der Kugel an ihm zerrte.

Khuv kam näher und Jazz hatte eine noch bessere Idee. »Sie kommen auch mit, Major. Oder ich erschieße Sie direkt durch diesen Mistkerl hindurch!«

Khuv reagierte schnell; er war in dem Moment in Bewegung, als Jazzs Worte ihn erreichten. Er ließ sich flach auf den Steg fallen und schrie: »Feuer! Feuer! Feuer!«

Jazz ließ sich rückwärts in die Kugel fallen und zerrte den

stolpernden Vyotsky hinter sich her. Und – es war weiß dort drinnen. Es war reines Weiß, ein einheitlicher weißer Hintergrund, auf dem Jazz und Vyotsky die einzigen Fremdkörper bildeten. Sie rollten über einen anscheinend festen Boden, der unsichtbar war, weil er weiß war, wie alles andere. Schüsse fegten über sie hinweg in einem ohrenbetäubenden Donnergrollen, das einen Moment später verklang, als Khuvs Stimme, zu einem fast unverständlichen Rauschen verlangsamt, wie aus weiter Ferne herüberdrang: »F-E-U-E-R E-I-N-S-T-E-L-L-E-N! F-E-U-E-R E-I-N-S-T-E-L-L-E-N!«

Jetzt, wo die beiden in der Kugel waren und er außer Gefahr, wollte er nicht, daß ihnen irgend etwas passierte.

Jazz stand auf und sah sich um. Durch den feinen milchigen Film war das »Draußen« fast bis zum Stillstand verlangsamt. Der Effekt wirkte auf beiden Seiten. Khuv war dabei, wieder aufzustehen und hatte einen Arm und eine Hand hoch erhoben, um den Schießbefehl aufzuheben.

Jazz winkte ihm zu, dann drehte er sich um und richtete seine Waffe auf Vyotsky, der schreckensstarr vor ihm lag. »Los, hoch, Iwan.« Seine Stimme klang in seinen Ohren völlig normal. »Wir sollten uns auf den Weg machen, nicht wahr?«

Vyotsky sah sich um und kam wieder zu Verstand. Seine Schultern sackten herunter. Er rappelte sich langsam auf die Füße, sagte »Fuck off, Engländer!« und sprang zu Khuv hinüber.

Er versuchte es wenigstens. Aber es war nutzlos, denn ab hier war das Tor eine Einbahnstraße. Er prallte gegen eine unsichtbare Barriere und sank auf die Knie, während er in die leere Luft griff. Und als ihm seine Lage bewußt wurde, tat er genau das, was Jazz von ihm erwartet hatte: Er begann, um Hilfe zu schreien!

Jazz sah seinem Greinen einen Moment lang zu, dann sagte er: »Du hast die Wahl, Iwan. Du kannst auch hier bleiben, schreien und wimmern und schließlich sterben.«

Vyotsky drehte ihm schnell den Kopf zu: »Sterben?«

Jazz nickte bekräftigend: »An Hunger, Erschöpfung, was weiß ich ...« Dann wandte er sich von der Aussicht auf die andere Seite des Tores ab – weg von Khuv vor dem Hintergrund der Magmasse-Wände und der Soldaten – und begann seinen Marsch nach vorn, hinein in das, was aussah wie eine grenzenlose, weiße Unendlichkeit.

Hinter ihm tobte Vyotsky: »Aber warum? Warum? Wozu bin ich dir hier nütze?«

»Gar nicht«, rief Jazz über die Schulter zurück. »Aber Tassi könnte dich noch weit weniger gebrauchen ...«

Liebe Leser,
die Wesen, die durch das Dämonentor im Ural auf die Erde gelangten, weisen darauf hin, daß es sich bei der fremden Welt hinter dem Tor um die Heimat der Wamphyri handeln dürfte. Und während diese versuchen, erneut auf der Erde Fuß zu fassen, erforschen die unfreiwilligen Abgesandten der Menschen jene fremde Welt.
Jazz Simmons wird schnell begreifen, daß es ein Fehler war, seinen Feind Karl Vyotsky mit durch das Tor zu ziehen, doch er kann es nicht mehr rückgängig machen. Dafür erwartet ihn allerdings auch eine erfreuliche Begegnung inmitten der zerklüfteten Felslandschaft unter der fremden Sonne. Band 7 trägt den Titel:

Blutlust

ISBN 3-935822-37-5

S. P. Somtow

Dunkle Engel

Edition Metzengerstein Band 19

Roman, 320 Seiten, Hardcover, ISBN 3-932171-09-X

New York, 1865: Vor dem aufgebahrten Leichnam Abraham Lincolns trifft Paula Grainger, die Witwe eines Geistlichen, auf Walt Whitman. Der Dichter hat ihr eine erstaunliche Geschichte zu erzählen, die Paulas Weltanschauung auf den Kopf stellt ...

S. P. Somtows unheimlich-historisches Meisterwerk führt den Leser von den Schlachtfeldern des amerikanischen Bürgerkrieges zu den Sklavenauktionen von Haiti, läßt Zombies und magische Leoparden durch Amerika streifen und verwickelt die Lebensläufe von Edgar Allan Poe und Lord Byron mit den finsteren Riten des Voodoo-Kultes. Ein Roman wie eine gewaltige Odyssee, auf der Wahnsinn der Weisheit folgt und Gewalt der Zärtlichkeit.

Dean Koontz: *S. P. Somtows Art zu schreiben ist außergewöhnlich; ein frischer, faszinierender Stil, der den Leser bis ins Mark erschüttert.*

Thomas Ligotti

TEATRO GROTTESCO

12 Erzählungen und ein Vorwort von Frank Festa

176 Seiten, Paperback, ISBN 3-932171-49-7

The Washington Post: *Thomas Ligotti ist die überraschendste und ungewöhnlichste literarische Entdeckung seit Clive Barker*

Thomas Ligotti ist ein amerikanischer Kultautor des Genres, genannt »Prince of Dark Fantasy«. Viele Kenner betrachten Ligotti als den vielleicht besten lebenden Horrorautor und feiern ihn als »letzten Meister der Weird Fiction«. Seine surrealen Kurzgeschichten werden oft mit den Werken von Howard Phillips Lovecraft verglichen, als dessen literarischer Erbe Ligotti gilt.

Amazon.de: *Ligotti löscht den klaren Sinn. Irrsinn ist sein Thema, aber auch Blickwinkel und Mittler der Darstellung. Nur auf diesem Wege schafft Ligotti einen neuen Sinn. Der manchmal wiederum im Irrsinn liegt. (...) Eines der besten Horrorbücher überhaupt. Ligottis Stil ist eine Mischung zwischen Kafka und Lovecraft.*

Richard Laymon
Parasit

Edition Metzengerstein Band 18

Roman, 320 Seiten, Hardcover, ISBN 3-932171-08-1

Wie böse deine Phantasie auch sein mag –
die von Richard Laymon ist schlimmer!

Als die ersten Einwohner eines US-Städtchens durchdrehen und ihre Mitmenschen brutal töten, ahnt noch niemand, daß sich eine Katastrophe anbahnt. Es liegt wohl am heißen Wetter, die Leute sind gereizt ... Und die kleine Leichenhalle füllt sich.
Wenig später findet der Polizist Jake den wahren Grund der Morde heraus. Er würde am liebsten im Laufschritt aus der Stadt rennen – doch der Parasit läßt das nicht mehr zu ...

Joe R. Lansdale: *Parasit ist eines der gemeinsten, ekligsten und verrücktesten Bücher, die ich jemals gelesen habe – also genau nach meinem Geschmack.*

Dean Koontz: *Laymon treibt es immer auf die Spitze ... Keiner schreibt wie er, und seine Bücher bereiten immer wieder großes Lesevergnügen.*

Clark Ashton Smith

Necropolis

H. P. Lovecrafts Bibliothek des Schreckens Band 5

15 Erzählungen, 256 Seiten, Hardcover, ISBN 3-932171-03-0

Meistererzählungen von Clark Ashton Smith, dem phantastischsten aller Dark-Fantasy-Autoren. Bizarre Geschichten von geradezu halluzinatorischer Intensität. Lovecraft schrieb über sein Vorbild und engen Freund: *Was echte dämonische Ausstrahlung und Ideenreichtum anbelangt, wird Mr. Smith von keinem lebenden oder toten Schriftsteller übertroffen.*

> Amazon.de: *Smiths Erzählungen gleichen eher Kolossalgemälden, vor denen der Betrachter mit vor Erstaunen aufgerissenen Augen stehenbleibt. Mit großer Sprachmächtigkeit und einem nicht zu überbietenden Bilderreichtum entführt er seine Leser in Welten, die fremder nicht mehr sein könnten (...) Wem das Werk Lovecrafts gefällt und auch eine etwas gestelzte Sprache (ein »Markenzeichen« vieler Erzählungen von C. A. Smith) nichts ausmacht – die hier übrigens gut ins Deutsche übertragen wurde – sollte sich* Necropolis *auf jeden Fall zulegen.*